5 4 3 24 23 22 21 20

ISBN 978-3-649-63010-4


Hafenweg 30, 48155 Münster

Text: Jochen Till
Illustrationen: Wiebke Rauers
Lektorat: Jutta Knollmann
Satz: Helene Hillebrand
Printed in Slovakia

www.coppenrath.de

Das ebook erscheint unter der ISBN 978-3-649-63765-3.

Jochen Till

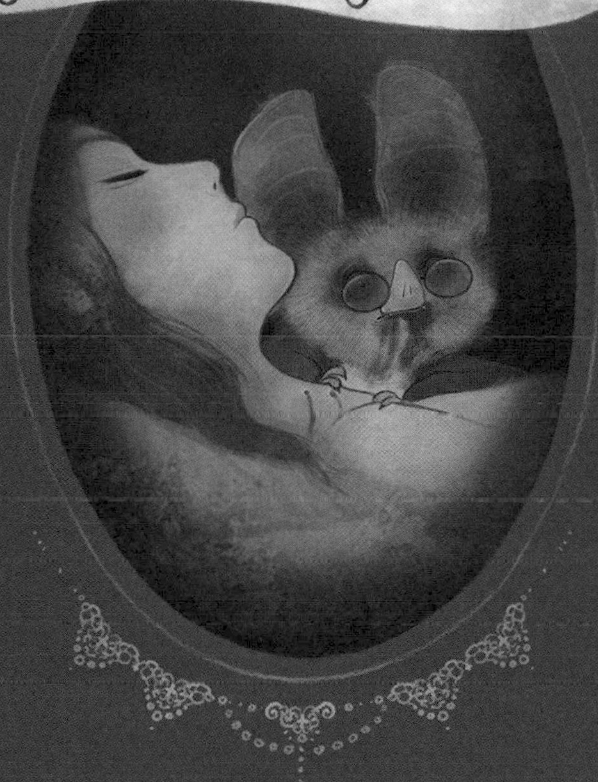

Nach einer Idee und mit Illustrationen
von Wiebke Rauers

COPPENRATH

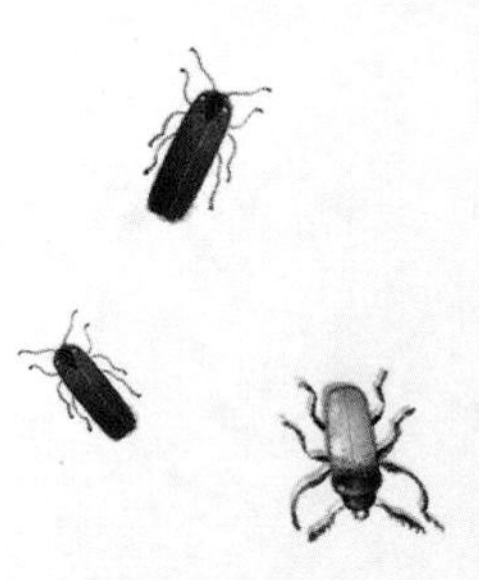

Abschied nehmen ist so schwer. Und nie war es so schwer wie heute, in all meinen 589 Lebensjahren nicht. Unzählige Kriege habe ich schadlos überstanden, etliche Naturkatastrophen konnten mir nicht den Garaus machen, Feuersbrünste sind einfach an mir abgeprallt, selbst die vielen Mordanschläge des heimtückischen Van Helsing habe ich überlebt. Ob ich die vor mir liegende Zeit heil überstehen werde, ist allerdings äußerst fraglich. Wie soll ich das nur ohne sie schaffen? Vielleicht hilft ja ein letzter flehender Blick aus meinen blutunterlaufenen Augen?

*Geh nicht, Selena! Ich brauche dich doch! Ohne dich bin ich verloren!*

„Ach, Hasenpups, jetzt guck doch nicht so“, sagt sie. „Man könnte glatt denken, die Welt geht gleich unter. Ich bin ja nur zwei Tage weg.“

*Nur* zwei Tage. Das sind nicht einfach *nur* zwei Tage. Normalerweise hätte ich kein Problem damit, zwei Tage ohne sie zu sein. An allen anderen zwei Tagen würde ich die ganze Zeit faulenzen und dabei sehr laut alte Schallplatten hören oder meine Lieblingsfilme gucken und eimerweise Blutorangeneis verputzen, bis mir schlecht wird. Aber all das

geht in den nächsten zwei Tagen leider nicht. Weil ich zwar ohne meine geliebte Frau Selena, aber nicht allein sein werde. Weil *sie* hier sind. Die vollen zwei Tage. Ohne Pause. Ich kann es immer noch nicht fassen. Wieso tut sie mir das an? Warum überlässt sie mich einfach so diesen … diesen Monstern?

„Hihi", sagt Aima kichernd. „Ich glaube, Opa hat Angst vor euch, Kinder."

Na toll. Jetzt fällt mir auch noch meine eigene Tochter in den Rücken. Aber das sollte mich eigentlich nicht wundern, schließlich hat sie mir das alles eingebrockt. Sie musste ja ihrer Mutter ausgerechnet ein Wellness-Wochenende in Paris mit Übertagung in den Katakomben zum 400. Geburtstag schenken. Ohne mich zu fragen! Und dann bestimmt sie auch noch, dass ich die volle Zeit auf diese drei Rabauken aufpassen soll. Und ich darf sie nicht einfach in den Keller sperren, das sei keine gute pädagogische Maßnahme, sagt Aima.

„Stimmt das, Opa?", fragt Globine, die Kleinste, und sieht mich mit großen Augen an. „Hast du Angst vor uns?"

„Hat er nicht", sagt Vira, ihre Schwester. „Opa hat vor gar nichts Angst. Außer vor Sonnenlicht."

„Und vor zu viel Verantwortung", fügt Selena hinzu. „Stimmt's, Hasenpups? Du machst dir doch nur Sorgen, weil du noch nie mit drei Kindern allein warst."

Nein. Es ist noch schlimmer. Ich war noch nie auch nur mit einem einzigen Kind allein. Selena hat sich immer um alles gekümmert. Ich habe nicht die geringste Ahnung von Kindern. Ich weiß nicht, wie man sie füttert. Oder womit. Oder wann sie wie lange Zähne putzen müssen.

Oder schlafen gehen. Alles, was ich weiß, ist, dass sie tagsüber auf gar keinen Fall nach draußen dürfen. Aber was passiert, wenn ich eins aus den Augen verliere? Oder alle drei? Kinder machen doch immer Blödsinn und hören nicht auf Erwachsene. Was, wenn sie aus reiner Abenteuerlust irgendeine Tür nach draußen öffnen? Dann kann ihre Mutter nur noch ein Häufchen Asche in die Arme schließen, wenn sie zurückkommt. Und ich bin daran schuld. *Davor* habe ich tatsächlich Angst.

„Na ja", sage ich, „was ist, wenn ich mal kurz nicht aufpasse und sie sterben?"

„Ach, Mäuseschwänzchen, das hatten wir doch alles schon." Selena nimmt ihren Koffer. „Was soll denn passieren? Wir sind Vampire. Uns bringt so schnell nichts um. Du musst sie nur rechtzeitig vor Sonnenaufgang in ihre Särge bringen, ich habe in der Kindergruft alles vorbereitet. Im gesamten Haus sind Wecker verteilt, die dich daran erinnern werden. Und im Kühlschrank steht genug Blutsurrogat für eine Woche, verhungern werdet ihr also auch nicht."

„Trotzdem", sage ich seufzend. „Wieso kann denn Cassidy nicht auf sie aufpassen?"

Eine berechtigte Frage, oder? Vaterpflichten kommen vor Opapflichten. Opas haben eigentlich keine Pflichten, das ist ja das Schöne daran, Opa zu sein. Das funktioniert nur leider nicht, wenn die Mutter in Paris ist und der Vater sich was weiß ich wo befindet. Aber Aima musste sich ja auch unbedingt in einen Vampir-Aktivisten verlieben, der sich ständig in der Weltgeschichte herumtreibt, um für den Fortbestand unserer Art zu kämpfen.

„Papa ist bei den Irren", sagt Globinchen. „Da macht er ein Brimbosium."

„Das heißt *Symposium*", verbessert sie Vira.

„Und er ist auch nicht bei den Irren, sondern bei den *Iren,* Schätzchen", fügt Aima hinzu und wendet sich an mich. „In Dublin findet ein Kongress der Vampiristischen Gesellschaft zum Thema *Effektiver Sonnenschutz* statt. Aber das habe ich dir schon letzte Woche am Telefon erzählt, Papa."

Hat sie das? Ich erinnere mich nicht daran. Passiert mir öfter in letzter Zeit. Als ich vorgestern Nacht zum ersten Mal seit Wochen wieder meine morschen Flügel auf einem kleinen Rundflug über die Berge in Schwung bringen wollte, habe ich doch glatt meine Hose vergessen. Zum Glück hat mich niemand gesehen!

„Dein Vater ist in letzter Zeit ein bisschen vergesslich", sagt Selena. „Er geht ja auch langsam auf die 600 zu."

„Geh ich gar nicht“, widerspreche ich. „Bis dahin sind es noch elf Jahre. Und ich bin noch genauso gut in Form wie mit 200. Mindestens.“

„Na, dann schaffst du es auch spielend leicht, zwei Tage lang auf drei Kinder aufzupassen“, sagt Selena und zwinkert mir zu.

„Rhesus hilft dir auch dabei“, sagt Aima. „Er ist nämlich schon ein großer Junge. Nicht wahr, Rhesus?“

Mein Enkelsohn antwortet nicht. Weil er gar nicht zugehört hat. Weil er ständig auf sein Handy starrt und darauf herumtippt.

„Rhesus?“, hakt seine Mutter nach. „Hast du mich gehört? Du hilfst Opa dabei, auf deine beiden Schwestern aufzupassen. Haben wir uns verstanden?“

„Haha, der war gut, Mama!“, sagt Vira lachend. „Der Blödian kann höchstens auf uns aufpassen, wenn wir in seinem Spiel auftauchen! Und selbst dann würde er uns wahrscheinlich noch aus Versehen abknallen!“

„Selber Blödian“, erwidert Rhesus, ohne von seinem Handy aufzublicken. „Gibt’s hier eigentlich WLAN? Ich muss mir unbedingt mehr Silberkugeln runterladen, sonst erwische ich diese blöden Werwölfe nie alle.“

„Wieso sind die Werwölfe denn blöd?“, will Globinchen wissen. „Haben die in der Schule nicht aufgepasst?“

„Keine Ahnung“, brummt Rhesus. „Die sind unsere Feinde und Feinde sind blöd. Deswegen knalle ich sie alle ab.“

„Kannst du nicht mal für eine Minute mit deinem dämlichen Spiel aufhören?“, stöhnt Aima genervt. „Wenn du so weitermachst, wirst du selbst noch blöd. Steck das Handy weg. Los, sofort!“

„Aber, Mama, ich bin doch kurz vorm nächsten Level!“, protestiert Rhesus.

„Sofort, habe ich gesagt!“, knurrt Aima. „Du kannst später weiterspielen. Aber nur, wenn Opa es erlaubt. Und Opa ist kein großer Fan von solchen Sachen. Also los, weg mit dem Ding!“

„Okay, okay, ich hör ja schon auf“, murrt Rhesus und steckt das Handy in seine Hosentasche.

„Sehr gut“, sagt Aima. „Und jetzt kommt mal her und drückt mich alle ganz fest zum Abschied, ihr süßen Flattermäuse.“

Die Mädchen fallen ihrer Mutter um den Hals und küssen ihre Wangen, bei Rhesus muss Aima etwas nachhelfen und ihn an sich heranziehen.

„Seid schön brav“, sagt sie. „Nur zweimal schlafen und ich bin wieder da.“

„Genau“, sagt Selena grinsend und drückt mich ebenfalls. „Nur zweimal schlafen und ich bin wieder da, mein Hasenpups.“

„Sehr witzig“, brummle ich.

„Du wirst es überleben“, sagt sie und küsst mich. „Und die Kinder auch.“

Ja, das werden wir wahrscheinlich. Ich weiß nur noch nicht wie.

Die Kinder und ich begleiten Aima und Selena noch nach draußen und winken ihnen in den Nachthimmel hinterher, bis sie außer Sichtweite sind. Dann bin ich mit meinen Enkeln allein.

„Und was machen wir jetzt?“, frage ich. „Habt ihr schon zu Abend gefrühstückt?“

„Ja“, antwortet Vira. „Mama hat uns extra Blutwurstbrote für die Fahrt geschmiert.“

„Ich hab aber Hunger“, sagt Globinchen. „Kann ich einen Lolli?“

„Ein Lolli hilft doch nicht gegen Hunger“, sage ich schmunzelnd. „Ein Lolli ist nur was zum Naschen.“

„Dann will ich was zum Naschen.“ Globinchen sieht mich mit ihren großen Kulleraugen an. „Einen Lolli!“

„Kriegst du“, sage ich. „Welche Blutgruppe magst du denn am liebsten?“

„B!“, antwortet Globinchen. „Die sind am leckersten!“

„Stimmt.“ Ich nicke. „Das sind auch meine Lieblingslollis. Noch jemand einen?“

„Für mich einen A, bitte“, sagt Vira. „B ist mir zu süß.“

„Rhesus?“ Ich sehe den Ältesten an.

Er ist schon wieder in sein Handy vertieft und reagiert nicht auf meine Frage.

„Rhesus?“, hake ich nach. „Auch einen Lolli?“

„Was? Äh … ja, gern“, murmelt er abwesend. „B, bitte.“

„Das wären also zweimal B und einmal A für euch. Und einmal B für mich“, stelle ich fest. „Jetzt muss ich nur noch herausfinden, wo Oma die Lollis versteckt hat. Sie will nicht, dass ich so viel nasche, damit mein Blutspiegel nicht zu hoch steigt. Und auf mein Fluggewicht soll ich auch achten. Als ob ein Lolli so schwer ist! Aber keine Sorge, mittlerweile kenne ich fast all ihre Verstecke. Wir treffen uns gleich in der Bibliothek. Kennt ihr den Weg?“

„Ja“, antwortet Vira. „Das ist mein Lieblingsort hier im Schloss. Da gibt’s ganz viele tolle Bücher.“

„Ich kann aber noch nicht lesen“, seufzt Globinchen.

„Das macht nichts“, sagt Vira. „Ich kann dir ja was vorlesen.“

„Au ja!“, jubelt Globinchen. „Ich mag vorlesen!“

„Ich weiß.“ Vira lächelt.

„Rhesus, geh bitte mit deinen Schwestern mit“, sage ich. „Ich möchte, dass ihr zusammenbleibt. Das Schloss ist so groß, selbst ich verlaufe mich hier noch manchmal.“

„Okay“, sagt Rhesus und läuft los, ohne von seinem Handy aufzublicken.

Als er am Treppenabsatz angekommen ist, stolpert er über die erste Stufe und kann sich gerade noch am Geländer festhalten, um nicht hinzufallen.

„Mist“, flucht er. „Jetzt ist mir doch glatt dieser blöde Werwolf entwischt!“

Ich mache mich auf den langen Weg nach unten in die Küche. Selena hat schon recht, wenn sie immer sagt, dieses Schloss ist eigentlich viel zu groß für uns. Und zu alt. Und zu teuer. Allein die Heizkosten im Winter sind so hoch, dass Selena letztes Jahr einen Flugjob für Über-Nacht-Pakete bei einem Kurierdienst annehmen musste. Dabei nutzen wir nur noch den Westflügel, nachdem uns im Ostflügel beim Teetrinken das Dach über den Köpfen eingestürzt ist. Zum Glück ist das kurz vor Sonnenaufgang passiert – nur fünf Minuten später und wir wären beide gebrutzelt worden.

Es wäre sicher vernünftig, das Schloss zu verkaufen, aber ich habe es bisher nicht übers Herz gebracht, dafür hänge ich zu sehr an dem alten Kasten.

In der Küche angekommen, suche ich systematisch Selenas übliche Süßigkeiten-Verstecke ab und werde im doppelten Boden der Besteckschublade schließlich fündig. Ah, hier ist ja alles, was das Schlemmerherz begehrt – Kekse, Schokolade, Blutgummibärchen und Lollis. Ich packe von allem etwas auf einen großen Teller, öffne den Kühlschrank und stelle wieder einmal fest, dass ich die beste Frau der Welt habe – Selena hat extra noch eine Karaffe Blutorangen-Eistee für uns vorbereitet. Mit einem voll beladenen Tablett mache ich mich auf den Weg.

Als ich in der Bibliothek ankomme, gleitet mir das Tablett vor Schreck fast aus den Händen. Beinahe die gesamte untere Hälfte meiner Buchregale ist leer. Überall liegen Bücher auf dem Boden und mittendrin sitzen die beiden Mädchen und stapeln sie um sich herum auf.

„Was … Was macht ihr denn da?“, frage ich entsetzt.

„Das ist super, nicht wahr, Opa?“, sagt Vira. „Ich wollte schon immer mal ein Haus aus Büchern bauen. Und du hast so schön viele.“

„Ja, ein Bücherhaus!“, ruft Globinchen glücklich. „Ich kriege ein eigenes Zimmer!“

Ich gucke Rhesus an, der auf dem Sofa sitzt und mit seinem Handy spielt.

„Ich habe ihnen gesagt, sie sollen dich erst fragen“, sagt er, ohne mich anzugucken. „Aber sie hören ja nie auf mich.“

„Wir räumen auch alles später wieder auf, Opa“, verspricht Vira.

„Ja“, fügt Globinchen hinzu. „Ich hab mir genau gemerkt, wo jedes Buch drin war.“

„Na, da bin ich ja mal gespannt.“ Ich stelle das Tablett zwischen den Mädchen auf den Boden. „Greift zu! Aber passt bitte auf, dass ihr die Bücher nicht verschmiert.“

Ich schnappe mir zwei Lollis vom Teller und setze mich neben Rhesus auf die Couch.

„Hier“, sage ich und strecke ihm einen der Lollis entgegen. „Du wolltest doch B, oder?“

„Ja, danke.“ Rhesus nimmt ihn mit seiner freien Hand entgegen, während er mit der anderen weiter sein Handy bearbeitet.

„Mmmh, die sind lecker, oder?“, sage ich und bekomme ein abwesendes Nicken als Antwort.

„Wie lange dauert so ein Spiel eigentlich?“, frage ich ihn.

„Lange.“

„Und da muss man Werwölfe töten?“

„Ja.“

„Hast du denn schon mal einen Werwolf persönlich getroffen?“

Kopfschütteln.

Ich wende mich den Mädchen zu. Sie sind fast fertig mit ihrem Bücherhaus.

„Da muss aber noch ein Dach drauf“, stelle ich fest. „Sonst ist es kein richtiges Haus.“

„Für das Dach bräuchten wir ein Brett“, sagt Vira. „Oder größere Bücher.“

„Da oben sind ganz viele.“ Globinchen zeigt auf das oberste Fach eines Regals. „Aber da kommen wir nicht dran. Kannst du uns helfen, Opa? Wir können doch noch nicht fliegen.“

Stimmt, Vampirkinder lernen ja erst mit zwölf fliegen. Ich weiß noch, wie ich es Aima beigebracht habe, am großen Fenster im obersten Stock des Westflügels. Es kommt mir vor, als sei es gestern gewesen, dabei ist das jetzt auch schon wieder über fünfzig Jahre her.

„Ich kann hier drinnen leider auch nicht fliegen“, gebe ich zu. „Seit ein paar Jahren brauche ich immer ein bisschen Wind, sonst komme ich nicht vom Boden hoch. Aber das kriegen wir schon irgendwie hin.“

Das hoffe ich zumindest. Hm, die Leiter steht in der Abstellkammer in der Küche, dafür bin ich gerade zu faul. Ich nehme also einen Stuhl und schiebe ihn an das Regal heran.

„Das wird nicht reichen“, bemerkt Vira und sie hat leider recht – sosehr ich mich auch recke und strecke, es fehlt immer noch ein ganzes Stück.

„Du musst den Stuhl auf den Tisch stellen, Opa“, sagt Globinchen.

Die Mädchen helfen mir, den Tisch an das Regal zu rücken und den Stuhl darauf zu platzieren. Ich klettere hinauf. Ganz schön wackelig. Ich balanciere auf einem Bein, um mein Gleichgewicht zu halten, und strecke meinen Arm nach oben aus. Als ich eines der Bücher zwischen Daumen und Zeigefinger zu fassen kriege, ziehe ich kräftig daran. Es bewegt sich leicht. Ich ziehe noch fester. Plötzlich gibt es einen Ruck, der Regalboden senkt sich leicht nach vorn, das Buch schießt mir entgegen und mit ihm alle anderen Bücher der obersten Reihe.

„Achtung da unten!“, rufe ich und halte schützend die Hände über den Kopf. „Buchlawine!“

Die Mädchen springen schnell unter den Tisch, während um sie herum die Bücher auf den Boden prasseln.

„Alles in Ordnung bei euch?“, frage ich, als das Gepolter aufgehört hat.

„Ja“, antwortet Vira. „Bei dir auch?“

„Ich glaube schon“, sage ich und klettere vorsichtig hinunter.

Ich atme tief durch. Jetzt sind die Kinder kaum eine halbe Stunde mit mir allein und ich hätte zwei davon bereits fast unter einem Bücherberg begraben.

Vira krabbelt unter dem Tisch hervor.

„Das war lustig“, sagt sie. „Können wir das nachher noch mal machen?“

„Äh, lieber nicht“, sage ich. „Wo ist denn Globinchen?“

„Mir ist fast ein Buch auf den Kopf gefallen“, klingt es unter dem Tisch hervor. „Da sind ganz viele Bilder drin.“

Vira und ich ziehen den Tisch über ihr weg.

Globinchen sitzt im Schneidersitz auf dem Boden und blättert in … meinem alten Fotoalbum! Das habe ich schon seit Jahrzehnten gesucht! Kein Wunder, dass ich es nicht gefunden habe, dort oben hätte ich es nie vermutet.

„Opa, wer ist das da neben dir?“, fragt Globinchen und zeigt auf eines der Fotos.

„Sieht aus wie der Yeti“, stellt Vira fest.

„Blödsinn“, brummelt Rhesus vom Sofa herüber. „Den gibt’s gar nicht, den Yeti. Der ist nur erfunden.“

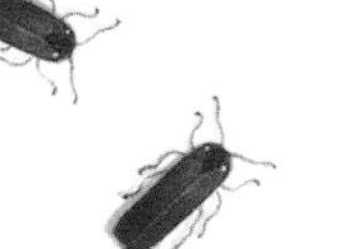

„Ach ja?“, sage ich. „Und wieso habe ich dann ein Foto, auf dem wir beide zusammen drauf sind?“

„Photoshop“, erwidert Rhesus trocken.

„Oh Mann, ist der doof“, stöhnt Vira und verdreht die Augen. „Das Foto ist uralt. Da gab es noch gar kein Photoshop. Da gab es noch nicht mal Computer, du Blödian.“

„Selber Blödian“, gibt ihr Bruder zurück. „Man kann ja Fotos auch so bearbeiten, dass sie alt aussehen.“

„Das hier riecht aber auch alt“, sagt Globinchen. „Wie Opa.“

„Das Foto *ist* alt“, sagt Vira. „Und ganz bestimmt nicht gephotoshopt. Das sehe ich doch von hier.“

„Zeig mal her“, sagt Rhesus.

Globinchen steht auf und gibt ihm das Album. Ich setze mich neben ihn und Globine klettert auf meinen Schoß.

„Rutsch mal, Blödian“, sagt Vira. Sie schiebt ihren Bruder vehement ein Stück zur Seite.

„Das ist wirklich der Yeti?“ Rhesus betrachtet skeptisch das Foto.

„Nein“, antworte ich, „das ist *die* Yeti.“

„Der Yeti ist ein Mädchen?“, fragt Vira ungläubig.

„So ist es“, antworte ich. „Aber das weiß kaum jemand.“

„Sie sieht nett aus“, sagt Globinchen.

„Ja, das fand ich damals auch“, sage ich. „Sehr sogar.“

„Hihi“, kichert Rhesus. „Opa war in den Yeti verknallt.“

„In *die* Yeti“, verbessert ihn Vira. „Stimmt das, Opa?“

„Nein, war ich nicht“, antworte ich. „Das ist … kompliziert.“

„Erzähl es uns!“, fordert Globinchen.

„Ja, raus mit der Sprache", hakt Vira nach. „Was war mit dir und Yeti?"

„Wollt ihr das wirklich wissen?", frage ich. „Ich will euch nicht mit irgendwelchen alten Geschichten langweilen."

„Ich mag alte Geschichten", sagt Globinchen. „Ich mag ja auch meinen alten Opa. Nur alte Kekse mag ich nicht, die sind immer so hart."

„Jetzt lass dich nicht so feiern, Opa", sagt Rhesus und legt sein Handy beiseite. „Wir wollen *alles* wissen."

Oh, ich bin ausnahmsweise einmal spannender als tote Werwölfe. Dann kann ich ja gar nicht anders.

„Na gut", beginne ich. „Dann erzähle ich euch jetzt …"

*Paris, 1909*

Die Geschichte
von
Yeti und Vlad

Es war am 28. Juni 1909. Das weiß ich noch so genau, weil ich am Tag zuvor meine Wohnung in der Baker Street in London bezogen hatte. Ich musste damals regelmäßig meinen Wohnort wechseln, es war eine schwierige Zeit. Vorher habe ich in Paris gewohnt, aber dieser vermaledeite Van Helsing war mir wieder einmal auf den Fersen, und ich hatte beschlossen, mich eine Zeit lang in London zu verstecken. Ich kaufte mir zur Tarnung eine Deerstalker-Mütze und einen Havelock-Mantel auf dem Flohmarkt und mietete unter dem Namen Sherlock Holmes eine Wohnung in dem Haus mit der Nummer 221b an. Die Vermieterin war eine nette alte Lady namens Hudson, die zu meinem Glück aber schon etwas verwirrt war. Ich erzählte ihr, ich sei ein Privatdetektiv und müsse deshalb vornehmlich nachts arbeiten, was sie mir sofort glaubte. Von daher wunderte sie sich auch nicht, dass ich mitten in der Nacht einzog und einen Sarg als Möbelstück mitbrachte – angeblich ein Beweisstück in einem äußerst kniffligen Fall.

Kurz bevor die Sonne aufging, hatte ich mein Sargzeug frisch bezogen und legte mich schlafen, wurde aber nur wenige Minuten später von einem so lauten Geräusch aufgeschreckt, dass ich mir den Kopf am Sargdeckel stieß.

„Aua“, sagt Vira. „Das ist mir auch schon mal passiert. Da hab ich ge-

träumt, ich könnte schon fliegen. Aber das war drinnen und ich bin mit dem Kopf gegen die Decke geflogen. Und als ich aufgewacht bin, hatte ich eine dicke Beule am Kopf. Seitdem schlafe ich nur noch mit geöffnetem Deckel."

„Ich nie", sagt Globinchen. „Da hab ich Angst, dass irgendwelche Viecher reinkrabbeln. Ich mag nämlich keine Viecher. Viecher sind blöd."

„Vor Viechern musst du keine Angst haben", erwidere ich. „Die meisten sind sogar sehr nett. Und es war auch kein Viech, das mich aufgeweckt hat. In der Wohnung über mir rumpelte es schrecklich laut. Es hörte sich so an, als würde jemand seine Möbel durch die Gegend werfen."

„So laut wie vorhin, als die Bücher runtergepurzelt sind?", fragt Globinchen.

„Noch viel, viel lauter", sage ich.

Ich versuchte wieder einzuschlafen, aber das Gepolter hörte einfach nicht auf. Nun bin ich normalerweise nicht der Typ, der sich bei seinen Nachbarn wegen zu viel Lärm oder sonst welchen Kleinigkeiten beschwert, aber nachdem der Krach eine Stunde später immer noch nicht aufgehört hatte, beschloss ich, etwas dagegen zu unternehmen. Ich stieg aus meinem Sarg.

„Aber, Opa!", ruft Globinchen entsetzt. „Es war doch Tag! Die Sonne!"

„Das stimmt. Aber in England scheint die Sonne selbst im Sommer nur selten, meistens regnet es. So war es auch an diesem Tag. Und wie

ihr wisst, kann uns Tageslicht an sich nichts anhaben, wenn wir uns gut schützen."

„Sonnenstrahlen auch nicht", fügt Vira hinzu. „Es darf nur kein Stück unserer Haut damit in Berührung kommen. Ich hab schon mal direkt in der Sonne gestanden, als wir in der Vampirschule übertagt haben. Da hatten wir Astronautenanzüge an. Die meisten aus meiner Klasse haben sich trotzdem nicht rausgetraut. Ich mich schon. Aber das war ganz schön gruselig."

„Ach, das hab ich auch gemacht", sagt Rhesus. „Das war Pipifax, nur ein bisschen heiß."

„Bestimmt nicht so heiß wie in der Sahara", fällt mir ein. „Dort hat mich Van Helsing mal aus einem Flugzeug geworfen, kurz vor Sonnenaufgang. Egal wohin ich geflogen wäre, der nächste Schatten war zu weit entfernt, um mich zu retten. Ich musste mich dann drei Tage nacheinander komplett im Sand vergraben, um zu überleben. Aber das ist eine andere Geschichte. Zurück zu meinem lärmenden Nachbarn ..."

Ich zog mein Cape gegen Tageslicht an, stieg die Treppen nach oben und klopfte an die Wohnungstür. Aber der Krach war zu laut, niemand öffnete. Also hämmerte ich mit beiden Fäusten dagegen und da schwang die Tür plötzlich auf. Der Lärm wurde lauter und nun war zusätzlich noch Musik zu hören. Ich ging auf eine Tür zu, öffnete sie einen Spaltbreit und warf einen vorsichtigen Blick hinein. Als Erstes sah ich ein Grammofon, auf dem sich eine

Schallplatte drehte. Ich kannte die Musik, es war die Nussknacker-Suite meines alten Freundes Tschaikowsky, mit dem ich einige Jahre zuvor eine aufregende Zeit in Russland verbracht hatte. Das Poltern gehörte allerdings eindeutig nicht zu seiner Komposition. Und nun sah ich auch, was der Grund für den Lärm war. Oder besser gesagt: wer. In der Mitte des Raumes tanzte das bezauberndste Wesen, das ich jemals gesehen hatte. Sie trug ein rosa Ballettröckchen und hüpfte, sprang und wirbelte Pirouetten drehend durch den Raum wie eine überglückliche Elfe. Dass sie dabei mindestens dreihundert Kilo wog und ihr gesamter Körper von dichtem weißem Fell bedeckt war, spielte keine Rolle. Bei jedem ihrer Schritte und Sprünge bebte der Boden – es war ihr Tanzen, das den Lärm verursachte. Mein Ärger darüber war im Nu verflogen. Wie konnte ich dieser engelsgleichen Gestalt böse sein? Auch wenn es so klang, als tobte gerade ein wild gewordener Esel durch das Zimmer, schien sie dahinzuschweben wie eine Wolke. Stumm stand ich da, schlichtweg überwältigt. Als die Musik aufhörte, fing ich an zu klatschen, ohne daran zu denken, dass sie mich noch gar nicht bemerkt hatte. Mit einem markerschütternden Schrei sprang sie hinter das in die Ecke geschobene Sofa.

„Verzeihung!“, sagte ich schnell. „Ich wollte Sie nicht erschrecken!“

„W… Wer sind Sie?“, fragte sie entsetzt. „W… Was wollen Sie hier?“
„Ich wohne seit gestern unter Ihnen“, erklärte ich. „Ich wollte nur nachsehen, ob alles in Ordnung ist. Der Lärm hat mich etwas … beunruhigt. Die Tür war offen.“
„Das Schloss ist kaputt“, sagte sie. „Aber das ist noch lange kein Grund, ungefragt in die Wohnung einer alleinstehenden Dame einzudringen.“
„Da muss ich Ihnen uneingeschränkt zustimmen“, sagte ich. „Aber ich wusste ja nicht, dass hier eine Dame wohnt. Sie tanzen übrigens ganz wundervoll.“
„Wirklich, finden Sie?“, sagte sie und tauchte hinter dem Sofa auf.
„Absolut! Ich möchte sogar behaupten, dass Sie die beste Tänzerin sind, die ich jemals gesehen habe, Miss …?“
„Yeti“, sagte sie. „Sie dürfen mich Yeti nennen.“
„Dracula“, stellte ich mich vor. „Graf Vlad Dracula. Aber nennen Sie mich Vlad.“ Ich ging auf sie zu und streckte ihr meine Hand entgegen. Als ich sie anlächelte, muss sie meine Fangzähne gesehen haben, denn sie zog sich sofort wieder hinter das Sofa zurück.
„Sie … Sie sind einer dieser Vampire, nicht wahr?“, fragte sie ängstlich. „Ich habe schon viel über Ihre Art gehört. Sind Sie gekommen, um mich zu beißen?“
„Nein, keine Sorge“, sagte ich lachend. „Das könnte ich

Ihrem wundervoll weißen Fell niemals antun. Wir Vampire beißen übrigens auch nur im absoluten Notfall Menschen."
„Ich bin aber kein Mensch", sagte sie.
„Das ist mir auch schon aufgefallen. Darf ich fragen, welcher Spezies Sie angehören?"
„Das weiß ich bedauerlicherweise selbst nicht." Sie seufzte. „Manche halten mich für einen Geist, andere bezeichnen mich sogar als Ungeheuer oder gar Monstrum."
Ich nickte verständnisvoll. „Auch mich hat man schon so genannt. Hören Sie nicht darauf. Die Menschen erfinden gern solche Schimpfworte für Wesen, die anders sind. Sie wissen es einfach nicht besser. Außerdem gibt es einen Beweis dafür, dass Sie kein Monstrum sind. Ein Monstrum könnte nicht so tanzen wie Sie. Das, was ich eben gesehen habe, war höchste Ballettkunst."
„Oh, Sie wissen gar nicht, wie gut es tut, dass das mal jemand zu mir sagt", freute sie sich. „Solange ich denken kann, will ich schon eine Primaballerina werden."
„Nun, dann haben Sie sich ja Ihren Lebenstraum bereits erfüllt", sagte ich. „Herzlichen Glückwunsch!"
„Nein", erwiderte sie niedergeschlagen. „Ganz so einfach ist es leider nicht. Eine wahrhaftige Primaballerina tanzt auf großen Bühnen, jeder kennt sie. Mich kennt leider niemand."

„*Noch* nicht“, sagte ich. „Aber das lässt sich ändern.“

Yeti ließ sich aufs Sofa fallen. „Das sagt sich so leicht. Haben Sie sich schon mal die Primaballerinen angeguckt? Die sind rank und schlank und wunderschön. Und nicht behaart.“

Ich winkte ab. „Ach, das sind doch nur Oberflächlichkeiten.“

„Ja, vielleicht“, murmelte sie. „Aber niemand will eine monströse Primaballerina sehen.“

Ich stemmte energisch die Hände in die Hüften. „Doch, ich! Ich will eine monströse Primaballerina sehen. Und ich bin ganz bestimmt nicht der Einzige. Wurden Sie denn schon einmal bei einem Ensemble vorstellig?“

Yeti schüttelte den Kopf. „Das habe ich mich nie getraut.“

„Dann wird es aber höchste Zeit!“, sagte ich. „Allerdings sind wir dafür in der falschen Stadt. London ist in Sachen Ballett leider etwas rückständig. Wir müssen nach Paris. Dort kenne ich den Leiter des frisch gegründeten *Ballets Russes.* Ich bin mir sicher, er wird Sie mit Kusshand aufnehmen.“

„Das … Das würden Sie für mich tun?“, fragte Yeti ungläubig. „Und Sie würden mich sogar dorthin begleiten?“

Ich musste nur sehr kurz darüber nachdenken. Van Helsing war noch in Paris, das wusste ich. Es war also ein Risiko für mich, dorthin zurückzukehren …

„Selbstverständlich begleite ich Sie", sagte ich. „Wir können gleich heute Nacht aufbrechen!"

Und das taten wir dann auch. Wir nahmen die Nachtfähre nach Calais und von dort aus den ersten Zug nach Paris, wo wir noch vor Sonnenaufgang ankamen. Ich suchte uns ein kleines, verstecktes Hotel in der Nähe des *Théâtre du Châtelet,* wo mein alter russischer Freund Sergei Djagilew seine Ballettkompanie betrieb.

Das Wetter in Paris war leider sehr schön, also konnten wir das Hotel erst abends verlassen. Die Sonne ging gerade rechtzeitig zur Abendvorstellung des Ballets Russes unter und ich kaufte uns Karten für den oberen Balkon direkt neben der Bühne. Wir sahen uns die Vorstellung mit der fantastischen Anna Pawlowa an, was Yeti aber eher einschüchterte als ermutigte.

„Sie ist so grazil", flüsterte Yeti mir zu. „Gegen sie wirke ich wie ein Sack Mehl."

„Nicht, wenn Sie tanzen", erwiderte ich. „Wenn Sie tanzen, sind Sie hundertmal graziler als die Pawlowa."

„Ach, das sagen Sie doch nur so." Sie wurde ein bisschen rot.

„Warten Sie es ab", flüsterte ich. „In nicht allzu langer Zeit werden Sie auf dieser Bühne tanzen."

Als die Vorstellung vorbei war, klatschte Yeti noch so lange, bis der letzte Zuschauer den Saal verlassen hatte.

Wir gingen hinter die Bühne, wo sich das Büro meines Freundes Sergei befand. Ich ging allein hinein.
Sergei blickte überrascht von seinem Schreibtisch auf. „Vlad, altes Haus!“, begrüßte er mich überschwänglich und küsste mich auf beide Wangen, wie es in Frankreich üblich ist. „Was machst du denn hier? Wolltest du nicht die Stadt verlassen?“
„Ja“, antwortete ich. „Ich war bereits in London. Aber dann habe ich dort zufällig jemanden entdeckt, den du unbedingt kennenlernen musst. Glaub mir, du wirst es nicht bereuen, sie ist die beste Tänzerin, die ich jemals gesehen habe. Besser als die Pawlowa.“
„Eine Tänzerin? Besser als die Pawlowa?“, wunderte sich Sergei. „Das kann nicht sein. Niemand ist besser als die Pawlowa, auch wenn sie mir fürchterlich auf die Nerven geht mit ihrer Attitüde.“

„Das kenn ich“, sagt Globinchen und verdreht die Augen. „Eine bei mir im Kindergarten macht auch immer Attitüden mit ihrer Blockflöte, das nervt ganz schrecklich.“

„*Etüden*“, erwidert Vira lachend. „Das heißt Etüden. Das sind Übungsstücke, damit lernt man, ein Instrument zu spielen.“

„Ach so“, sagt Globinchen. „Und was ist dann Attitüde? Das klingt auf jeden Fall auch nervig.“

„Ist es auch“, brummt Rhesus. „Vor allem deine.“

„Gar nicht!", erwidert Globinchen entrüstet. „Ich hab so was überhaupt nie!"

„Bist du dir da ganz sicher?", fragt Rhesus. „Du weißt doch gar nicht, was das ist."

„Egal!" Globinchen stampft mit dem Fuß auf. „Ich hab keine Etüde und keine Attitüde! Ich hab überhaupt nichts mit üde! Das ist nämlich alles doof! Stimmt's, Opa?"

„Ja", sage ich lachend. „Du hast vollkommen recht, Attitüden sind doof."

Sergei klagte mir ausführlich sein Leid mit den kostspieligen Extrawünschen der Pawlowa.
„Solche Sorgen hättest du mit Yeti nicht, sie ist sehr bescheiden“, sagte ich. „Sie steht draußen. Soll ich euch vorstellen?“
„Eine bescheidene Primaballerina? Das wäre in der Tat mal etwas ganz Neues!“, sagte Sergei lachend. „Nur rein mit ihr!“
Ich öffnete die Tür und gab Yeti ein Zeichen. Sie betrat verschämt auf den Boden blickend den Raum.
„Äh ...“, flüsterte mir Sergei zu, „bist du dir sicher, dass das eine Tänzerin ist? Sie sieht eher aus wie ein Tänzer. Ein Tänzer aus dem Zirkus. Ein sehr behaarter Tänzer aus dem Zirkus.“
„Ich wusste es“, seufzte Yeti, die offenbar über ein sehr gutes Gehör verfügte. „Es hat keinen Sinn.“
Sie drehte sich um und wollte den Raum verlassen, aber ich hielt sie zurück.
„Nun warten Sie doch!“, sagte ich und wendete mich mit ernstem Blick an Sergei. „Gib ihr eine Chance. Du musst sie tanzen sehen. Am besten jetzt gleich.“
„Nun gut.“ Sergei guckte skeptisch. „Weil du es bist. Lasst uns auf die Bühne gehen, da ist jetzt niemand mehr.“
Ich nahm Yetis Hand, sie zitterte und wir folgten Sergei.
„Wir brauchen Musik“, sagte er und deutete zum anderen

Bühnenrand. „Könnt ihr mir helfen, das Probenklavier auf die Bühne zu schieben?“

„Lassen Sie nur“, sagte Yeti. „Ich mache das.“

Sie ging zu dem Klavier, hob es mit beiden Händen über den Kopf, trug es quer über die Bühne und stellte es vor Sergeis Füßen wieder ab.

„Sie sind sehr kräftig für eine Ballerina“, sagte Sergei staunend. „Zu welcher Musik möchten Sie tanzen?“

„Zur Nussknacker-Suite, bitte“, sagte Yeti.

Sergei nickte anerkennend und setzte sich an das Klavier. Yeti stellte sich in der Mitte der Bühne in Position, ihr Körper bebte vor Aufregung. Doch sobald der erste Ton erklang, hörte Yeti auf zu zittern. Sie war augenblicklich ganz in ihrer Welt, dort, wo es egal war, wie sie aussah und wie andere sie sahen, dort, wo sie nicht mehr und nicht weniger war als eine Tänzerin. Die beste Tänzerin aller Zeiten.

Während sie tanzte und wirbelte und sprang und Pirouetten drehte, wurden Sergeis Augen immer größer. Einmal verspielte er sich sogar leicht.

Der letzte Ton war noch nicht verklungen, da sprang Sergei bereits auf und klatschte, so laut er konnte, Beifall.

„Das … Das war … Das war schlicht und einfach sensationell!“, rief er begeistert. „Die Körperspannung! Die perfekte Technik! Diese unverhoffte Leichtigkeit! Die

Anmut! Die Grazie! Bravo, Madame! Chapeau! Sie sind wirklich einzigartig!"

„Danke", sagte Yeti verschämt. „Das ist sehr reizend von Ihnen."

„Das ist nicht reizend!", erwiderte Sergei. „Das ist die reine Wahrheit! Sie sind fürs Tanzen geboren! Und für die Bühne! Für *meine* Bühne! Sie sind hiermit engagiert! Wir machen eine Sondervorstellung! Eine Matinee! Eine Nussknacker-Matinee! Gleich nächsten Sonntag! Was halten Sie davon?"

Als Antwort erhielt Sergei einen lauten Knall – Yeti war ohne jede Vorwarnung nach hinten gekippt und in Ohnmacht gefallen.

„Oje, die Arme", sagt Vira erschrocken. „Hat sie sich wehgetan?"

„Nein, keine Sorge", versichere ich ihr. „Yeti war sehr robust."

„Ich werde auch mal eine Primaballerina!", verkündet Globinchen. „Ich kann nämlich auch ganz toll tanzen!"

Sie klettert auf den Tisch und fängt an, wild darauf herumzuhüpfen. Sie schleudert Arme und Beine von sich, springt in die Luft, dreht sich, verliert das Gleichgewicht und … kippt vom Tisch. Ich stürze auf sie zu und kann sie gerade noch so auffangen. Puh, das war knapp!

„Du wirst höchstens eine Prima*fall*erina", kommentiert Rhesus mit einem Grinsen.

„Das war lustig!", sagt Globinchen kichernd. „Noch mal!"

„Lieber nicht“, erwidere ich tief durchatmend. „Setz dich bitte wieder hin. Ich muss euch doch die Geschichte weitererzählen.“

Die Tage vor der Matinee verbrachten Yeti und ich im wundervollen Paris. Tagsüber probte Yeti für ihren großen Auftritt, und sobald die Sonne unterging, streiften wir durch die Stadt. Ich zeigte Yeti alle Sehenswürdigkeiten, wir kletterten nachts heimlich auf den Eiffelturm, schlichen uns durch einen Hintereingang in den Louvre und aßen zusammen Eis auf den Champs Élysées.

Sergei hatte überall in der Stadt Plakate aufhängen lassen, auf denen Yeti als Yetina Karamasowa angekündigt war, die Sensation aus St. Petersburg.

Yeti war nicht unbedingt glücklich darüber.

„Aber das ist doch gelogen“, sagte sie zu Sergei. „Das ist nicht mein Name und ich komme nicht aus St. Petersburg.“

„Ach, das weiß doch niemand, Schätzchen“, erwiderte Sergei. „Russische Tänzerinnen verkaufen sich einfach besser. Sie wollen doch auch, dass die Vorstellung ausverkauft ist, oder? Wir haben jetzt bereits über einhundert Reservierungen.“

„Oh, so viele?“, sagte Yeti sichtlich gerührt. „Die kommen alle, um mich zu sehen?“

„Sie kommen, um die neue Sensation aus St. Petersburg zu sehen“, sagte Sergei zwinkernd. „Können Sie Russisch?“

„Nein, kein einziges Wort“, antwortete Yeti.
„Das macht nichts.“ Sergei winkte ab. „Primaballerinen müssen nicht reden. Wenn Sie jemand etwas fragt, sagen Sie einfach Wodka, das ist die richtige Antwort auf alles in Russland.“
Yeti betrachtete das Plakat. „Aber da ist ja überhaupt kein Bild von mir drauf“, stellte sie fest. „Bei der Pawlowa ist immer ein Bild mit drauf.“
„Die Pawlowa wiegt ja auch keine dreihundert Kilo und sieht nicht aus wie ein langhaariger Eisbär“, erwiderte Sergei. „Überlassen Sie die Werbung für unsere Matinee ruhig mir, Schätzchen, ich weiß, was ich tue.“
„Ja, aber werden die Leute sich nicht betrogen fühlen, wenn am Sonntag keine ranke und schlanke und unbehaarte Russin auf der Bühne steht wie angekündigt?“
„Ach, zerbrechen Sie sich darüber nicht Ihr dickes Köpf-

chen“, sagte Sergei. „Sobald die Sie tanzen sehen, vergessen sie sofort alles, was auf dem Plakat stand. Vertrauen Sie mir, Schätzchen, das wird formidabel und ein ganz großer Triumph!“

„Es bleibt mir wohl nichts anderes übrig“, seufzte Yeti.

Dann kam der große Tag. Das Wetter sollte bedauerlicherweise herrlich werden, also gingen wir bereits vor Sonnenaufgang ins Theater. Die Ersten waren wir trotzdem nicht, Sergei wartete bereits auf uns. Er empfing uns in Yetis Garderobe, zusammen mit einer Garde von fünf Männern in weißen Kitteln.

„Ah, ihr seid schön früh, das ist perfekt!“, sagte er. „Dann haben wir genug Zeit!“
„Zeit wofür?“, fragte ich.
„Na, für die Verwandlung des zotteligen Eisbären in eine Primaballerina.“ Sergei wandte sich an die fünf Männer und klatschte in die Hände. „Ihr könnt anfangen!“
Sofort zückte jeder der Männer eine Schere. Sie rückten auf Yeti zu.
„Aaaah!“, schrie sie entsetzt und sprang in meine Arme. „Hilfe, Vlad! Das sind Friseure!“
Auch wenn ich ihre Nähe sehr genoss, länger als drei Sekunden konnte ich Yeti nicht auf meinen Armen halten. Ich setzte sie behutsam auf dem Boden ab.
„Die … Die wollen an mein Fell“, sagte Yeti ängstlich und versuchte, sich hinter mir zu verkriechen.
„Das ist nicht dein Ernst, oder?“, fragte ich Sergei. „Was soll das?“
„Was meinst du?“ Sergei tat unschuldig. „Das ist doch nur zu ihrem Besten. Wenn erst einmal das ganze Fell entfernt ist, sieht sie bestimmt halbwegs präsentabel aus. Wir wollen unser Publikum doch nicht erschrecken, nicht wahr?“
Zum ersten Mal fragte ich mich, wieso ich eigentlich mit Sergei befreundet war – er war offenbar kein guter Mensch.
Yeti fing an zu weinen. „Das wäre aber nicht mehr *ich*“,

schluchzte sie. „Ich dachte, es geht ums Tanzen, nicht um mein Fell. Mehr wollte ich doch nie. Einfach bloß tanzen."

„Und das werden Sie auch", sagte ich entschlossen. „Und zwar genau so, wie Sie sind, mit Ihrem wunderhübschen Fell."

„Wird sie nicht", sagte Sergei. „Das ist *mein* Theater. Hier bestimme immer noch ich, wer auf dieser Bühne tanzen darf und wer nicht. Und auch wenn sie tatsächlich die beste Primaballerina der Welt ist, das genügt heutzutage nicht. Um ein Star zu werden, braucht es mehr. Mehr Schönheit, mehr Charisma, mehr Liebreiz. Und auf jeden Fall weniger Fell. Ich könnte sie zu einem Star machen. Oder sie kann gehen. So tritt sie bei mir jedenfalls nicht auf."

Yeti schluchzte laut auf und ich ging wütend auf Sergei zu. Ich blieb so dicht vor ihm stehen, dass sich unsere Nasen beinahe berührten.

„Sie wird hier auftreten", fauchte ich ihn an. „Und zwar heute, wie angekündigt. Und wenn du sie nicht tanzen lässt, werde *ich* etwas aus *dir* machen, das dir ganz sicher nicht gefällt." Ich ließ kurz meine Fangzähne aufblitzen. „Du weißt, wovon ich spreche?", fragte ich nachdrücklich.

Er schluckte einmal tief und nickte wortlos.

„Ich sehe, wir verstehen uns. Und jetzt verschwinde und nimm deine schamlosen Scherenschwinger mit!"

„Ja, hau ab, du Blödmann!“, schimpft Globinchen.

„Du hättest ihn beißen sollen“, brummt Rhesus.

„Was für ein Fiesling“, knurrt Vira. „Die arme Yeti. Sie hat doch hoffentlich trotzdem noch getanzt?“

„Ja, hat sie“, sage ich. „Es hat allerdings eine ganze Weile gebraucht, bis ich sie dazu überreden konnte.“

Dann war es so weit. Der Saal war gut gefüllt, nur in den oberen Rängen sah man einige wenige leere Plätze. Yeti zitterte wieder vor Aufregung am ganzen Körper, während sie ihr speziell für diesen Tag geschneidertes Ballettröckchen anzog. Sie sah aus wie ein alles überstrahlender Engel.

„Ich kann da nicht rausgehen“, sagte sie. „Mir ist schlecht.“

„Das ist ganz normal“, erwiderte ich. „Das ist nur Lampenfieber.“

„Können wir die Lampen nicht ausmachen?“, fragte Yeti. „Ich hätte bestimmt kein Fieber, wenn mich niemand sehen könnte.“

Ich musste lachen. Yeti auch.

„Kommen Sie“, sagte ich und führte sie zum Vorhang. „Sie sind bereit. Sie werden alle da draußen verzaubern. So wie Sie mich verzaubert haben.“

Ich drückte ihr einen sanften Kuss auf die fellige Wange und gab dem Dirigenten ein Zeichen.

Die Musik begann. Yeti atmete einmal tief durch. Dann ging der Vorhang auf und sie schritt langsam in die Mitte der Bühne. Man konnte deutlich hören, wie das Publikum überrascht nach Luft schnappte, einige tuschelten hinter vorgehaltener Hand. Aber als Yeti zu tanzen begann, wurde der Saal auf einmal mucksmäuschenstill.
Was nun folgte, war in meinen Augen die beste Vorstellung einer Primaballerina, die die Welt je sehen durfte. Jeder Schritt, jede Bewegung war perfekt. Und nicht nur das, Yeti hatte auch ein paar Tanzfiguren eingebaut, die es bis dahin noch gar nicht gab und nie wieder geben würde, weil niemand außer ihr jemals imstande sein würde, sie zu tanzen. Einmal sprang sie so hoch, dass sie fünfundzwanzig Pirouetten in der Luft drehen konnte, bevor sie wieder den Boden berührte. Das Publikum kam aus dem Staunen nicht mehr heraus, und manche Leute klatschten sogar während der Vorstellung, was beim Ballett eigentlich nie vorkommt. Das war aber nichts gegen den Applaus, der aufbrandete, als der letzte Ton erklang und Yeti sich zum Abschluss ihrer Darbietung tief verbeugte. Die Leute standen auf und klatschten und johlten und jubelten minutenlang vor Begeisterung. Yeti strahlte über ihr gesamtes Gesicht und musste sich dreiundsiebzigmal verbeugen, bevor es ruhiger wurde. Dann ertönte aus den hinteren Reihen eine männliche Stimme.

„BUUUUUH!“, rief jemand. „DAS IST KEINE RUSSISCHE TÄNZERIN! DAS IST EINE ABSCHEULICHE MONSTROSITÄT!“

Die Stimme kam mir bekannt vor, aber ich konnte nicht einordnen, wo ich sie schon einmal gehört hatte.

„VERSCHWINDE, MONSTRUM!“, brüllte der Mann.

Als ich nach ihm Ausschau hielt, sah ich, wie plötzlich etwas auf die Bühne zuflog. Ich konnte nicht erkennen, was genau es war. Im nächsten Augenblick traf es Yeti, direkt auf der Brust, dort, wo ihr Herz war. Es spritzte. Ein tiefes Rot breitete sich an der Stelle aus, rote Tropfen platschten wie in Zeitlupe auf den Bühnenboden. Meine feine Nase erkannte den Geruch sofort – es war … eine faule Tomate!

„Ojeoje!“, quiekt Globinchen. „Erschreck mich doch nicht so, Opa! Ich dachte schon, jemand hat auf die arme Yeti geschossen!“

„Das hat er doch mit Absicht gemacht“, sagt Vira grinsend. „Aber ich bin auch drauf reingefallen. Wer nimmt denn bitte eine faule Tomate mit ins Theater? Darauf wäre ich nie gekommen.“

„Das war damals noch so üblich“, erkläre ich. „Da haben die Leute verdorbene Lebensmittel mit ins Theater genommen, um die Künstler bei Nichtgefallen der Vorstellung damit zu bewerfen. Matschige Tomaten, faule Eier, verdorbene Salatköpfe, alles Mögliche.“

„Igitt“, sagt Rhesus. „Dann hat’s in den Theatern bestimmt immer ganz eklig gerochen.“

„Ja, das hat es“, bestätige ich.

„Erzähl weiter, Opa!“, fordert Globinchen. „Was hat Yeti dann gemacht? Hat sie den bösen Mann gefressen?“

„Nein“, sage ich lachend. „Yeti war Vegetarierin.“

Ich stürzte auf die Bühne. Alle im Publikum waren ebenso erschüttert wie ich. Alle, bis auf einen.

„HAHA!“, schallte es lachend aus den hinteren Reihen. „SEI FROH, DASS ES NUR EINE TOMATE WAR, DU WIDERLICHES BIEST!“

Ich ging nach vorn an den Rand der Bühne und suchte die Besucherreihen nach dem Mistkerl ab.

„WIE JÄMMERLICH!“, rief ich ihm zu. „EINE DAME AUS DEM HINTERHALT ZU BELEIDIGEN UND MIT FAULEM GEMÜSE ZU BEWERFEN! ZEIG UNS DEIN GESICHT, DU FEIGLING!“

„ICH SEHE KEINE DAME!“, rief er zurück. „DA STEHT NUR EIN EKELHAFTES MONSTRUM!“

„DAS EINZIGE MONSTRUM HIER IM SAAL SIND SIE!“, erwiderte ich. „UND SIE …“

„Danke, Vlad“, unterbrach mich Yeti. „Lassen Sie mich das bitte machen.“

Ich hatte erwartet, dass sie nach der feigen Attacke weinend zusammenbrechen würde, aber dem war nicht so. Entschlossen trat Yeti vor.

„Hochverehrtes Publikum", sagte sie, „mir fehlen die Worte, um auszudrücken, wie glücklich Sie mich heute gemacht haben, indem Sie gekommen sind, um mich tanzen zu sehen. Ihr Applaus und die Freude in Ihren Gesichtern werden mein Herz noch für lange Zeit höherschlagen lassen. Daran ändert auch diese eine Tomate nichts."

„DU KANNST GERN NOCH EINE HABEN, MONSTRUM!", rief der Mistkerl.

Die nächste Tomate flog auf Yeti zu. Sie fing sie mit einer Hand aus der Luft, roch kurz daran und biss herzhaft hinein.

„Danke", sagte sie lächelnd. „Ich weiß überhaupt nicht, wieso Sie die wegwerfen, die sind doch noch gut."

Gelächter und Applaus ertönten aus dem Publikum.

„Wissen Sie", fuhr Yeti fort, „es war immer mein Traum, auf solch einer Bühne zu tanzen. Dafür auch noch Applaus zu bekommen, übersteigt meine kühnsten Erwartungen. Und einer, der laut brüllt und mich unflätig beleidigt, schmälert dieses Gefühl in keiner Weise. Ja, ich sehe nicht aus wie alle anderen. Dafür tanze ich aber auch nicht wie alle anderen. Von daher betrachte ich meine äußere Gestalt nicht als Fluch, sondern als Gabe, und freue mich über jeden, der das genauso sieht."

„DU SIEHST AUS WIE EIN EXPLODIERTER BETTVORLEGER, MONSTRUM!", erschallte es von hinten.

Und wieder fragte ich mich, woher ich diese Stimme bloß kannte, aber ich kam immer noch nicht darauf.
Eine feine Dame aus der ersten Reihe wandte sich um. „JETZT HALT DOCH ENDLICH MAL DIE KLAPPE, DU ERBÄRMLICHER TROLL! SONST KOMME ICH NACH HINTEN UND STOPFE SIE DIR HÖCHSTPERSÖNLICH!“
„DAS IST NICHT NÖTIG, MADAME!“, rief ein Mann aus der Mitte des Saals. „BLEIBEN SIE SITZEN, WIR MACHEN DAS SCHON!“
Auf einmal flog eine Armada aus unterschiedlichsten Wurfgeschossen nach hinten. An den Umrissen konnte ich erkennen, dass sich alle Leute aus dem Umfeld des Mistkerls duckten, sodass er als Einziger noch aufrecht stand. Tomaten, Salatköpfe, Eier, ja, sogar Wurzelgemüse und Melonen prasselten auf den Widerling ein, bis er immer weiter nach hinten wich und die Flucht ergriff. Einige Zuschauer verfolgten ihn noch bis nach draußen, die anderen applaudierten und jubelten laut.

„Yippie!“, ruft Globinchen begeistert. „Geschieht ihm recht, dem doofen Mann!“

„Ja“, stimmt Vira ihr zu. „Wobei es am besten ist, wenn man solche Idioten einfach ignoriert und ihnen keine Beachtung schenkt. Yeti hat das schon richtig gemacht.“

„Hast du denn noch rausgekriegt, wer dieser Typ war?“, fragt Rhesus. „Ist dir wieder eingefallen, woher du die Stimme kanntest?“

„Ja“, antworte ich. „Einige Stunden später wurde es mir schlagartig und auf lebensgefährliche Art und Weise klar. Aber bis dahin haben wir erst einmal Yetis großen Triumph gefeiert.“

Es begann schon zu dämmern, als Yeti und ich als Letzte das Theater durch den Hinterausgang verließen.

„Und?“, fragte ich sie. „Wie geht es jetzt weiter? Möchten Sie sich an anderen Theatern um ein Engagement bemühen?“

„Ich weiß es noch nicht“, antwortete sie. „Darüber muss ich in Ruhe nachdenken.“

„Dann fahren wir vielleicht erst einmal zurück nach London?“, schlug ich vor. „Wir könnten unsere Sachen aus dem Hotel holen und den Nachtzug nach Calais nehmen.“

Yeti hakte sich lächelnd bei mir unter und wir liefen zusammen über den Hinterhof.

Als wir auf der anderen Seite des Hofs angekommen waren, sprang plötzlich eine Gestalt hinter einer Mülltonne hervor. Sie sah sehr schmutzig aus, am gesamten Körper und in den wild zerzausten Haaren klebten Gemüsereste – es war offenbar der Widerling aus dem Theater.

„Haha!“, rief er. „Hab ich dich endlich, elender Vampir! Du kannst dir gar nicht vorstellen, wie es mich gefreut hat, als ich dich vorhin auf der Bühne entdeckt habe! Ich dachte, du hättest längst die Stadt verlassen! Aber ich hätte mir eigentlich gleich denken können, dass ihr zusammengehört! Ein Monstrum kommt selten allein!"

Nun gab es keine Zweifel mehr, wen ich da vor mir hatte. „Van Helsing", sagte ich seufzend. „Was machst du denn hier? Ich hätte dich nicht für einen Ballett-Liebhaber gehalten."

„Haha! Ich bin immer dort, wo du am wenigsten mit mir rechnest!", sagte er triumphierend. „Und diesmal entkommst du mir nicht! Zum Fliegen ist es zu früh, über den Häusern scheint noch die

Sonne! Du hast keine Chance, mir zu entwischen! Das letzte Stündlein deiner diabolischen Macht hat geschlagen!“

„Sie kennen diesen Irren?“, fragte Yeti mich.

„Ja, leider“, antwortete ich. „Er hat bereits unzählige Male versucht, mich zu töten.“

„Das ist aber sehr garstig“, sagte Yeti. „Er ist offenbar in jeder Hinsicht ein äußerst unangenehmer Zeitgenosse.“

„Schnauze, Monstrum!“, fuhr er Yeti an. „Mit dir beschäftige ich mich gleich. Du kannst dich aber schon mal von deinem langzahnigen Verehrer verabschieden. In ein paar Sekunden ist er nur noch Asche!“

Er zog umständlich etwas hinter seinem Rücken hervor. Es war eine Armbrust. Sie verhakte sich an seinem Gürtel, und es dauerte eine ganze Weile, bis er sie lösen konnte.

„Haha!“, rief er. „Da staunst du, was? Damit muss ich noch nicht einmal in deine Nähe, um dich zu töten! So kannst du mich nämlich nicht beißen!“

„Das wollte ich Sie die ganze Zeit schon fragen: Sie beißen also tatsächlich Leute?“, erkundigte sich Yeti bei mir.

„Nur im äußersten Notfall“, antwortete ich. „Und auch nur, wenn sie frisch gebadet sind. Dieser Hals wäre mir jetzt beispielsweise viel zu schmutzig, da holt man sich ja sonst was.“

Van Helsing griff über die Schulter hinter seinen Rücken

und zog erneut etwas hervor – einen angespitzten Holzpflock. Er versuchte, ihn in die Armbrust zu spannen, aber der Pflock rutschte ihm immer wieder aus den Händen und fiel zu Boden.

„Jetzt geh endlich da rein, du blödes Ding", fluchte er vor sich hin.

„Wenn er immer so lange braucht, um Sie zu töten, wundert es mich nicht, dass er es bisher nie geschafft hat", bemerkte Yeti.

„Ja, er ist nicht unbedingt der Geschickteste", erwiderte ich. „Einmal hat er sich fast sämtliche Knochen gebrochen, als er sich aus einem Fenster in der zweiten Etage auf mich stürzen wollte und auf dem Pflaster neben mir gelandet ist."

„Da hatte ich nur den Wind falsch berechnet", brummelte Van Helsing, während er weiter mit dem Holzpflock kämpfte.

Beim siebten Versuch schaffte er es schließlich.

„Haha!", sagte er und richtete die Armbrust auf mich. „Gleich ist es vorbei mit deiner nächtlichen Schreckensherrschaft, Elender! Und ich werde in die Geschichte eingehen als der unerschrockene Held, der dem ruchlosen Grafen Dracula sein wohlverdientes Ende bereitet hat!"

Ich muss zugeben: Ein bisschen mulmig wurde mir nun schon. Er hatte zwar bereits unzählige Male vergeblich versucht, mich umzubringen, und war dabei stets an seiner eigenen Unfähigkeit gescheitert, aber selbst er könnte ja irgendwann einmal Glück haben. Wenn mich dieser Holzpflock ins Herz treffen sollte, war es tatsächlich aus mit mir.

Ohne jede weitere Vorwarnung betätigte Van Helsing den Abzug der Armbrust. Der Holzpflock schoss auf mich zu. Plötzlich wurde ich zur Seite geschubst und Yeti nahm meinen Platz ein.

„Nein, Yeti! Nicht!“, rief ich entsetzt, aber da war es schon zu spät.

Der Holzpflock traf sie genau dort, wo einige Stunden vorher die Tomate eingeschlagen war … und prallte einfach an ihr ab.

„Was … Nein … Verflucht!“, schimpfte Van Helsing und griff hektisch hinter seinem Rücken nach dem nächsten Holzpflock.

„Wissen Sie, was unter anderem der Vorteil daran ist, ein Monstrum wie ich zu sein?“, fragte Yeti grinsend und ging langsam auf ihn zu. „Ich habe ein sehr dickes Fell.“

Van Helsing hantierte weiter schimpfend und fluchend an der Armbrust herum, aber er hatte keine Chance. Als Yeti ihn erreichte, schlug sie ihm einmal kräftig von oben mit der Faust auf den Kopf. Er sackte sofort bewusstlos in sich zusammen.

„Sehr imposant“, sagte ich grinsend. „Sowohl Ihr dickes Fell als auch Ihre Schlagkraft. Vielen Dank für die Rettung in letzter Sekunde.“

„Gern geschehen“, sagte Yeti. „Soll ich ihn töten? Ich müsste mich nur kurz auf ihn setzen, dann wären Sie ihn für immer los.“

„Vielen Dank, das ist sehr reizend von Ihnen“, sagte ich. „Ich fürchte nur, das wäre vergebene Liebesmüh. Ich habe ihn in den letzten hundert Jahren bereits vierzehnmal getötet, aber er taucht immer wieder auf.“

„Wie kurios!“ Yeti hob überrascht die Augenbrauen. „Dann ist er vermutlich so etwas wie ein …“

„Ein Untoter, ja“, sagte ich. „Er sieht zwar bei Weitem nicht so verwest aus wie seine Artgenossen und kann sich sogar verständlich artikulieren, aber eine andere Erklärung gibt es nicht.“

„Interessant“, bemerkte Yeti. „Er ist also selbst ein Monstrum.“

„Ja“, sagte ich. „Das beweist wieder einmal, dass diejenigen, die mit Tomaten werfen, selbst die größten Monstren sind.“

„Leider wahr“, stimmte Yeti mir zu und zeigte auf Van Helsing. „Was machen wir denn jetzt mit ihm? Lassen wir ihn einfach hier liegen?“

„Ach, stopfen Sie ihn doch einfach da drüben in die Müll-

tonne", schlug ich vor. „Wenn wir Glück haben, nimmt ihn die Stadtreinigung morgen früh mit."

„Krass!", platzt Rhesus heraus. „Van Helsing ist ein Zombie! Das wusste ich noch gar nicht."

„Ja, das wissen die wenigsten", sage ich. „Und mittlerweile sieht er auch immer mehr so aus wie einer. Ich habe ihn zum letzten Mal vor ungefähr zehn Jahren gesehen, da hat er mir in einem Kino aufgelauert, doch als er mir von hinten einen Holzpflock ins Herz rammen wollte, ist seine Hand abgefallen. Seitdem ist er nicht mehr aufgetaucht, aber man muss trotzdem immer mit ihm rechnen."

„Der soll nur kommen, der doofe Zombie!", sagt Globinchen. „Dem trete ich gegens Schienbein und dann heult er! Ich kann nämlich Karate! Hey-yah!"

Globinchen hüpft hin und her und schlägt und tritt lauter Löcher in die Luft. Wir müssen lachen.

„Und was ist aus Yeti geworden?", will Vira wissen. „Hat sie ein anderes Theater gefunden, in dem sie tanzen durfte?"

„Nein", sage ich seufzend. „Sie ist bedauerlicherweise nie wieder öffentlich aufgetreten."

Wir saßen am Hafen von Calais und warteten auf die Fähre. Yeti sprach kaum ein Wort.

„Was beschäftigt Sie?", wollte ich wissen. „Sie wirken sehr nachdenklich."

„Ich habe eine Entscheidung getroffen", sagte sie. „Und es fällt mir nicht leicht, sie Ihnen mitzuteilen."

„Schießen Sie los", sagte ich. „Sie wissen hoffentlich, dass Sie mir *alles* sagen können."

Yeti blickte mir ernst in die Augen. „Ich werde nicht nach London zurückkehren, Vlad."

„Aber … Aber warum denn nicht?", fragte ich.

„Weißt du", sagte Yeti, „so schön und überwältigend der Auftritt auch war, er hat mir eins ganz deutlich gezeigt: Es geht mir nicht um den Applaus oder die Anerkennung all dieser fremden Leute. Ich dachte immer, das sei wichtig, aber seit heute weiß ich, dass das überhaupt nicht stimmt. Ich will nur tanzen, sonst nichts. Deshalb kehre ich der zivilisierten Welt den Rücken zu. Ich werde mir irgendwo eine gemütliche Höhle in den Bergen einrichten."

„Dann war's das also", stellte ich traurig fest.

„Ja", sagte Yeti. „Es tut mir sehr, sehr leid."

Wir tranken unseren Kaffee aus und sie begleitete mich noch zur Fähre.

„Ich wünsche dir alles nur erdenklich Gute", sagte ich zum Abschied. „Werde bitte glücklich, wo immer du auch bist.

Und tanze jeden Tag. Und wenn du deine große Pirouette drehst, denk bitte ab und zu an diesen Tag und an mich."
Yeti wischte sich eine dicke Träne aus dem Augenwinkel.
„Das werde ich ganz sicher", sagte sie. „Nicht nur ab und zu."
Ich ging auf die Fähre und blieb an der Reling stehen, bis der Hafen außer Sichtweite war.
Seitdem habe ich Yeti nicht wiedergesehen.

„Oh, nein!", sagt Globinchen entsetzt. „Das ist so traurig! Ich dachte, ihr würdet am Schluss heiraten und wärt für immer glücklich."

„Das geht doch gar nicht, du Doofi", sagt Rhesus. „Wenn Opa Yeti geheiratet hätte, würde es uns gar nicht geben. Dann hätte er nämlich Oma nicht geheiratet und sie hätten Mama nicht gekriegt und wir wären jetzt gar nicht hier, weil wir gar nicht auf der Welt wären."

„Selber Doofi!", erwidert Globinchen. „Oma hätte doch einen anderen heiraten können! Dann hätte sie Mama trotzdem gekriegt und wir wären trotzdem hier!"

„Wären wir nicht", sagt Rhesus. „Dann wäre Opa nämlich nicht unser Opa und wir würden ihn gar nicht kennen."

„Oh nein! Das will ich nicht!", sagt Globinchen. „Ich will Opa kennen! Für immer! Ich hab ihn nämlich sehr, sehr lieb!"

Sie fällt mir um den Hals und drückt mich fest.

„Dann ist es doch gut, dass du Yeti nicht geheiratet hast", sagt sie. „Sonst könnte ich dich jetzt gar nicht knuddeln."

„Darüber bin ich auch sehr froh", sage ich.

„Hast du denn noch mal irgendwas von Yeti gehört?", will Vira wissen. „Weißt du, ob sie noch lebt?"

„Ich möchte davon ausgehen", antworte ich. „Zwei Monate nach unserem Abschied erhielt ich einen Brief von ihr, in dem sie mich bat, ihr Grammofon an eine Adresse in Nepal zu senden. Ich habe dann noch ein paar neue Schallplatten gekauft und ihr alles geschickt. Danach kam nie wieder etwas von ihr. Wobei ich auch nicht mehr lange in London gewohnt habe. Aber es tauchen immer mal wieder Fotos aus dem Himalaya von ihr in Zeitungen auf, von daher denke ich, dass es ihr gut geht."

„Bestimmt", sagt Globinchen. „Sie tanzt den ganzen Tag und ist glücklich."

Ich nicke. „Ja, das ist eine schöne Vorstellung."

Das Bild einer im Schnee tanzenden Yeti taucht vor meinem geistigen Auge auf und ich muss lächeln.

„Opa, kannst du mir mal helfen?", fragt Vira. „Die Bücher für das Dach sind so schwer, das schaffe ich nicht allein."

Ich stehe vom Sofa auf. „Natürlich. Du musst mir nur sagen, was ich machen soll."

„Zuerst müssen wir die ganz großen Bücher aufklappen und in den Ecken platzieren", erklärt Vira. „Dann haben wir ein Grundgerüst für das Dach. Die Lücken schließen wir mit den anderen Büchern."

„Klingt nach einem gut durchdachten Plan", sage ich anerkennend. „Vielleicht solltest du dir überlegen, ob du später mal Architektin werden willst."

„Will sie nicht“, sagt Globinchen, während sie in meinem Fotoalbum blättert. „Vira will Tierärztin werden, hat sie gesagt.“

„Und Fotografin“, stöhnt Rhesus genervt, während er weiter an seinem Handy spielt. „Und Umweltschützerin. Und Feuerwehrfrau. Sie will doch jeden Tag etwas anderes werden.“

„Ach ja? Und was wirst du?“, erwidert Vira schnippisch. „Dumm-auf-der-Couch-Rumhänger?“

Rhesus grinst. „Gibt es das als Beruf? Dafür wäre ich perfekt geeignet.“

Wir lachen alle.

Ich helfe Vira dabei, die schweren Wälzer auf ihr Bücherhaus zu legen, und komme dabei ganz schön ins Schwitzen.

„Oh!“, sagt Globinchen, als wir gerade ein besonders schweres Buch nach oben hieven. „Das ist aber ein großer Fisch! Hast du den selbst geangelt, Opa?“

„Ein Fisch?“, frage ich verwundert und beuge mich zu ihr hinüber. „Was denn für ein Fisch?“

Ich mache meinen Hals so lang wie möglich, um einen Blick auf das Foto zu werfen. Plötzlich merke ich, wie mir das Buch aus den Händen rutscht.

„Aaaah!“, ruft Vira. „Opa, pass auf!“

Aber da ist es schon zu spät. Das Buch entgleitet mir komplett, bringt das halb fertige Dach zum Einstürzen und begräbt Vira unter sich.

„Oje, das tut mir leid!“, sage ich und helfe ihr schnell, unter dem Buch hervorzukriechen. „Hast du dir wehgetan?“

„Nein, alles in Ordnung“, sagt sie. „Hab mich nur erschreckt.“

„Das war's dann wohl mit dem Architektenberuf", frotzelt Rhesus. „In deine Bruchbuden will bestimmt niemand einziehen."

„Das war doch nicht meine Schuld", motzt Vira. „Ich muss nur bei der Auswahl meiner Hilfskräfte ein bisschen vorsichtiger sein. Opa lässt sich zu leicht ablenken."

„'tschuldigung", sagt Globinchen. „Das war meine Schuld. Aber guckt doch mal, der Fisch ist wirklich riesig!"

Vira und ich setzen uns neben sie aufs Sofa.

„Das ist kein Fisch", sagt Rhesus, nachdem er einen flüchtigen Blick darauf geworfen hat. „Fische haben keine Beine."

„Was soll das denn sonst sein?", fragt Globinchen.

Ich nehme ihr das Fotobuch ab. „Das ist Bobo!", sage ich freudig. „Oh, wie schön! Ich habe schon ewig nicht mehr an ihn gedacht. Bobo war mein Haustier. Ich habe ihn gekriegt, als ich noch so klein war wie du, Globinchen."

„Oh, ein Haustier!" Globinchen quiekt entzückt. „Ich will auch ein Haustier! Aber keins mit Fischkopf! Ich will ein Alpaka! Mit einem Alpakakopf! Die sind so schön flauschig!"

„Jetzt mal im Ernst, Opa", sagt Vira und sieht mich skeptisch an. „Du veräppelst uns doch, oder? Das ist nie im Leben ein Haustier. Und einen Fisch mit Beinen habe ich auch noch nie gesehen."

„Photoshop", sagt Rhesus. „Jede Wette."

„Diesmal könntest du sogar recht haben", stimmt Vira ihm zu. „Anders lässt sich das nicht erklären."

„Ihr könnt mir ruhig glauben", sage ich. „Das ist Bobo und er war wirk-

lich mein Haustier. Fragt doch Ur-Oma, wenn sie von ihrer Kreuzfahrt zurückkommt. Sie hat ihn mir damals zum Geburtstag geschenkt. Und am Anfang war er auch noch ein ganz normaler Fisch."

„Echt?", fragt Vira verwundert. „Was ist denn mit ihm passiert?"

„Wollt ihr das wirklich wissen? Ich meine, wird euch das nicht zu langweilig, wenn ich euch diese alten Geschichten erzähle?"

„Nein, ich liebe deine alten Geschichten, Opa", sagt Vira.

„Ich auch!", stimmt Globinchen mit ein. „Die kenne ich nämlich alle noch nicht, weil ich ja noch nicht alt bin!"

„Mir egal", sagt Rhesus und zuckt kurz mit den Schultern. „Solange ich nebenbei weiter Werwölfe killen kann."

„Darüber müssen wir noch mal ausführlich reden", sage ich. „Aber erst einmal erzähle ich euch …"

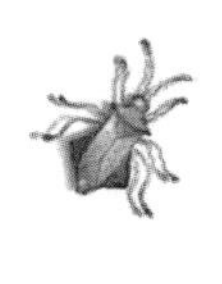

*Bobo und ich, 1896*

Wie aus einem
Fisch ein Freund
wurde

Es war Anfang 1436. Ich war vier Jahre alt und wünschte mir nichts sehnlicher als ein Haustier. Damals gab es nicht viel, womit man sich als Kind die Zeit vertreiben konnte. Spielzeug, wie man es heute kennt, war noch nicht erfunden, und als Einzelkind hatte ich noch nicht einmal Geschwister, die den Alltag weniger langweilig machten. Allein Verstecken oder Fangen zu spielen, war auf Dauer sehr unbefriedigend, und so entstand in mir der Wunsch nach Gesellschaft, nach einem Freund, einem Gefährten, mit dem ich mir die Zeit vertreiben konnte.

Ein paar Wochen zuvor, an Weihnachten, war meine Tante, Caitlin McByte, bei uns zu Besuch gewesen, und sie hatte ihren Hund mitgebracht. Es war ein schottischer Hirtenhund namens Bloody und ich liebte ihn abgöttisch. Wir tollten kreuz und quer durchs Schloss, ich brachte ihm ein paar Tricks bei, wir streunten nachts gemeinsam durch die Felder, ich konnte sogar auf ihm reiten. Es war die bislang schönste Woche meines Lebens – bis Tante Caitlin wieder abreiste und Bloody natürlich mitnehmen wollte. All mein Betteln und Flehen half nicht, sie liebte ihn selbst über alles, und so blieb mir nichts anderes übrig, als Bloody bitterlich weinend zum Abschied hinterherzuwinken.

Von diesem Tag an bestand mein dringlichstes und einziges Ziel darin, meine Eltern davon zu überzeugen, mir einen Hund zu schenken, irgendeinen, es musste noch nicht einmal ein Bloody sein. Hauptsache, ich bekam einen Hund. Um dies zu erreichen, baute ich auf die Taktik unbarmherzigen Quengelns. Wann auch immer, wo auch immer, ich machte meinen Eltern unmissverständlich klar, wovon mein Seelenheil, mein einziges Kinderglück und somit meine gesamte Existenz abhing.

„Ich will einen Hund! Ich will einen Hund! Ich will einen Hund!", sagte ich, anstatt zu atmen, wann immer meine Eltern in Hörweite waren. „Sonst sterb ich!"

„Ganz sicher nicht", sagte mein Vater anfangs noch lachend. „Es ist noch kein Vampir gestorben, weil er keinen Hund hatte."

„Ein Hund macht zu viel Arbeit, Schätzchen", versuchte meine Mutter, sich stets herauszureden. „Er muss gefüttert werden und muss jede Nacht raus, egal bei welchem Wetter. Außerdem können Hunde nicht fliegen, wir könnten ihn nie mit in den Urlaub nehmen."

„Aber die Arbeit würde ich doch machen!", entkräftete ich ihre fadenscheinigen Argumente. „Und ich kann auch noch nicht fliegen und ihr nehmt mich trotzdem mit in den Urlaub!"

„Das ist doch etwas ganz anderes", erwiderte meine Mutter. „Du bist unser Kind, selbstverständlich nehmen wir dich mit in den Urlaub."

Ich ließ mich nicht beirren. „Aber der Hund könnte doch *mein* Kind sein! Und ich nehme dann auch sonst nichts mit in den Urlaub! Keine Badehose, keine Unterhose, überhaupt keine Hose! Und auch keinen Mantel! Nur den Hund!“

„Ja, das könnte dir so passen“, sagte meine Mutter lachend. „Aber vergiss es, ohne Unterhosen fliegst du ganz bestimmt nicht in den Urlaub.“

„Aber ich will einen Hund! Ich will einen Hund! Ich will einen Hund! Ich will einen Hund!“, war alles, was ich dem entgegenzusetzen hatte.

„Ach, Vlad“, seufzte mein Vater, „jetzt sei doch mal vernünftig. Wo sollen wir denn überhaupt einen Hund herkriegen? Es ist ja nicht so, als gäbe es hier überall Haustierhändler. Ich wüsste gar nicht, wo ich einen kaufen sollte.“

„Das ist mir egal!“, argumentierte ich gekonnt dagegen. „Ich will einen Hund! Ich will einen Hund! Ich will einen Hund! Ich will einen Hund!“

„Jetzt ist aber mal Schluss mit den Faxen!“, sagte meine Mutter mit scharfem Ton. „Je öfter du das sagst, desto geringer wird die Chance, dass du irgendwann vielleicht mal einen Hund oder irgendein anderes Haustier kriegst. Außerdem weißt du doch ganz genau, dass es bei uns Geschenke nur zu Weihnachten und am Geburtstag gibt.

Weihnachten war gerade erst und Geburtstag hast du auch noch nicht."
Ich musste nicht lange überlegen, ob ich das richtig verstanden hatte, dafür war die Aussage zu eindeutig: Meine Mutter hatte mir einen Hund versprochen! Zum Geburtstag! Mein Herz hüpfte augenblicklich vor Freude wie ein aufgeregter Welpe durch meinen Brustkorb. Meine Taktik war aufgegangen! Ich würde einen Hund kriegen! Nun gab es nur noch ein einziges Problem:
„Wann ist mein Geburtstag? Wann ist mein Geburtstag? Wann ist mein Geburtstag?", wollte ich wissen.
„Das weißt du doch", sagte meine Mutter. „Der ist im Oktober."
„Wann ist Oktober? Wann ist Oktober? Wann ist Oktober?", fragte ich, weil mein Gefühl für Zeit damals noch nicht sonderlich ausgeprägt war.
„In neun Monaten", stöhnte meine Mutter. „Und jetzt hör endlich auf, uns auf die Nerven zu gehen, und iss deine Blutsuppe."
Neun Monate, dachte ich. Neun. Das war eine Zahl, damit konnte ich etwas anfangen. Neun war nur eine Ziffer und somit weniger als zehn, die bestand aus zwei Ziffern. Andererseits war neun viel mehr als drei – die Zahl, die meine Mutter immer benutzte, wenn ich irgendetwas machen sollte, wozu ich keine Lust hatte. Dann zählte sie

immer bis drei und ich musste meinen Sarg aufräumen oder Zähne putzen. Drei ging immer sehr schnell vorbei, neun würde mit Sicherheit länger dauern. Aber wie lange genau?

„Geburtstag dauert immer voll lange“, seufzt Globinchen auf. „Weihnachten ist kürzer.“

„Ist es nicht“, sagt Vira lachend. „Weihnachten ist auch nur einmal im Jahr. Darauf musst du genauso lange warten wie auf deinen Geburtstag.“

„Muss ich gar nicht“, erwidert Globinchen. „Ich hab nämlich im November Geburtstag und danach ist immer ganz schnell Weihnachten. Darum muss ich auf Weihnachten nie so lange warten. Aber danach dauert es ganz lange, bis ich wieder Geburtstag habe.“

„Bestechende Logik.“ Rhesus nickt. „Globinchen hat ihre eigene Zeitrechnung erfunden.“

Ich schmunzle. „Das hat bei mir damals leider nicht funktioniert.“

Jeder Tag ohne Hund fühlte sich für mich wie ein Jahr an. Wenn man an Sehnsucht und Ungeduld hätte sterben können, wäre ich jeden Abend fünf Minuten nach dem Aufstehen tot umgefallen. Die Tage zählen konnte ich noch nicht, dafür waren es einfach zu viele, also zählte ich die Monate, was sich als sehr frustrierende Methode herausstellte. Zum Glück habe ich am 7. Oktober Geburtstag, der letzte Monat war also nicht mehr ganz so schlimm.

Dann war es so weit – die große Nacht war endlich, endlich gekommen! Ich machte den ganzen Tag in meinem Sarg kein Auge zu, so aufgeregt war ich, und als meine Mutter aufstand, saß ich bereits auf ihrem Sargdeckel.
„Wo ist mein Geschenk? Wo ist mein Geschenk? Wo ist mein Geschenk?“, wollte ich wissen.
„Guten Abend, mein Schatz“, sagte meine Mutter, während sie sich schläfrig streckte. „Ich wünsche dir alles Liebe zum Geburtstag.“
So leicht ließ ich mich nicht ablenken. „Mein Geschenk! Mein Geschenk! Mein Geschenk!“, machte ich weiter.
„Du kleiner Quälgeist!“ Meine Mutter lachte. „Ein bisschen Geduld noch. Du kriegst dein Geschenk gleich beim Abendstück.“
Diese unnötige Verzögerung passte mir natürlich überhaupt nicht.
Ich kletterte auf den Sarg meines Vaters, der gern ein bisschen länger schlief, und sprang darauf herum.
„Papa! Aufstehen!“, rief ich. „Schnell! Es gibt Abendstück!“

Eine gefühlte Ewigkeit später saßen wir am Tisch im Speisesaal und meine Mutter reichte mir ein Brot mit Blutmarmelade.
„Ich hab keinen Hunger“, sagte ich wahrheitsgemäß. „Kann ich jetzt mein Geschenk haben?“

„Nun hol es schon“, brummelte mein Vater. „Vorher gibt er sowieso keine Ruhe.“
„Na gut“, sagte meine Mutter und wandte sich an mich. „Aber du musst die Augen zumachen, Schätzchen. Es soll schließlich eine Überraschung werden.“
Sie stand auf und verließ den Saal. Ich tat ihr den Gefallen und schloss meine Augen, auch wenn ich den Sinn darin nicht so ganz verstand. Ich würde einen Hund kriegen, das wusste ich bereits seit neun Monaten – wo blieb denn da der Überraschungseffekt? Es sei denn, ich würde *zwei* Hunde kriegen! Das wäre natürlich noch besser!
Mein Herz schlug mir vor Aufregung bis zum Hals. Ich hörte Schritte, meine Mutter kam zurück. Ich spürte, wie sie hinter mich trat, und hörte ein schabendes Geräusch direkt vor mir.
„Augen auf!“, sagte meine Mutter freudig. „Ta-daaaaa!“
Ich öffnete meine Augen und sah … nichts. Also, jedenfalls keinen Hund. Das Einzige, was sich in meinem Sichtfeld verändert hatte, war eine große tönerne mit Wasser gefüllte Schüssel, die vor mir auf dem Tisch stand. Ein Hund war weit und breit nicht zu sehen.
„Na, freust du dich?“, fragte meine Mutter enthusiastisch. Ich sah mich um, konnte aber nirgends einen felligen Grund zur Freude entdecken.
„Worüber denn?“, fragte ich.

„Na, über dein Geschenk!“, sagte meine Mutter und zeigte auf die Schüssel.
„Danke, ich habe keinen Durst“, sagte ich.
„Aber das ist doch nicht zum Trinken“, erwiderte meine Mutter. „Guck noch mal genau hin. Das ist das, was du dir immer gewünscht hast.“

Ich hatte mir eine Schüssel Wasser gewünscht? Wann sollte das denn gewesen sein? Ich warf einen Blick in die Schüssel. Ah, das war nicht bloß einfach nur Wasser, da war noch etwas drin – allerdings kein Hund.
„Ich habe mir keine Fischsuppe gewünscht", stellte ich klar. „Ich wollte einen Hund."
„Hund war ausverkauft", sagte mein Vater. „Ich war sogar extra in der Stadt dafür, aber Hunde sind gerade sehr gefragt, die kriegen erst nächstes Jahr wieder welche rein."
„Ja, leider", bestätigte meine Mutter. „Deshalb haben wir dir ein anderes Haustier gekauft. Das ist keine Fischsuppe. Der Fisch lebt noch."
Ich schaute noch einmal in die Schüssel. Tatsächlich, der Fisch bewegte sich und war offenbar am Leben.
„Das ist kein Haustier", stellte ich knurrend fest. „Das ist ein glibberiger Fisch."
„Ach, komm, der ist doch echt süß", versuchte meine Mutter, Zucker auf dieses bittere Geburtstagsgeschenk zu streuen. „Und er ist perfekt zum Üben. Wenn du dich gut um ihn kümmerst, ihm immer zu fressen gibst und seine Schüssel sauber hältst, wissen wir, du kannst auch Verantwortung für ein größeres Tier übernehmen. Wer weiß, vielleicht kriegst du dann ja nächstes Jahr einen Hund zum Geburtstag."
Als ob ich darauf noch einmal reinfallen würde! Sie hat-

te mir in *diesem* Jahr einen Hund versprochen, und alles, was ich gekriegt hatte, war dieser Fisch. Ich würde ihr nie wieder auch nur einen Satz glauben, in dem das Wort *Hund* vorkam.

„Aber was soll ich denn mit dem Ding machen?", fragte ich. „Der kann ja nichts. Der kann keine Stöckchen holen und nicht draußen mit mir rumrennen und auf ihm reiten kann ich auch nicht."

„Ach, da findet sich schon eine Beschäftigung", sagte meine Mutter. „Du kannst gucken, wie er herumschwimmt, ich finde so was ja immer sehr beruhigend."

Genau das hatte mir immer gefehlt in meinem ohnehin schon langweiligen Leben, etwas Beruhigendes.

„Na toll", sagte ich tief seufzend, „ich habe das blödeste Haustier der Welt."

„Stimmt nicht", widerspricht Globinchen. „Das blödeste Haustier der Welt ist eine Spinne."

„Spinnen sind sehr nützliche Tiere", erwidert Vira. „Und äußerst faszinierend."

„Gar nicht." Globinchen schüttelt sich. „Eine aus dem Kindergarten hat eine Spinne als Haustier. Die hat sie mal mitgebracht, da sind alle anderen Kinder schreiend weggerannt. Ich auch. Spinnen sind echt blöd. Und eklig. Fische sind doch toll, die gucke ich mir voll gern an, da gibt's ganz bunte, in Orange und Grün und Blau und Rot."

„Meiner war grün“, sage ich. „Aber das machte ihn auch nicht spannender.“

Sosehr ich es auch versuchte, ich konnte diesem Fisch nichts abgewinnen. Er war das langweiligste Wesen, das ich je gesehen hatte. Er schwamm träge in seiner Schüssel hin und her, und wenn er einmal im Kreis schwamm, war das bereits die größte Art von Spannung, die er mir zuteilwerden ließ. Dieser Fisch war so langweilig, dass ich ihm noch nicht mal einen Namen gab. Ich beachtete ihn Tag für Tag weniger und beschränkte mich darauf, meine Pflicht zu erfüllen und ihn nicht verhungern zu lassen.
Eines Tages, als ich ein Stück Brot für ihn zerkleinerte, schnitt ich mir dabei in den Finger. Blut tropfte auf den Küchentisch. Ich tupfte es schnell mit dem Brot auf, bevor meine Mutter es sah und mit mir schimpfte – sie duldete keinerlei Verunreinigungen in ihrer Küche, diesbezüglich war sie sehr streng. Das Brot verfütterte ich trotzdem an den Fisch.
Als ich am nächsten Tag wieder Brotkrumen in seine Schüssel streute, kam mir der Fisch irgendwie größer vor. Da ich aber nicht ganz sicher war, dachte ich mir nichts dabei und ignorierte es. Was wusste ich schon über Fische? Vielleicht waren solche kleinen Wachstumsschübe ja normal?

Am Tag darauf schien er wieder ein Stück gewachsen zu sein, diesmal war es unverkennbar, er konnte sich kaum noch in seiner Schüssel umdrehen. Da dies die erste kleine Gemütsregung war, die mir dieser Fisch verschaffte, klammerte ich mich daran und rätselte, was dieses rasante Wachstum verursacht haben könnte. Was hatte ich in den letzten zwei Tagen anders gemacht? Ich hatte ihn bis auf die Fütterung ignoriert, wie immer, hatte nicht mit ihm gesprochen oder ihm anderweitig Aufmerksamkeit geschenkt, daran konnte es also nicht gelegen haben. Aber woran sonst? Ich grübelte noch bis spät in den Tag hinein in meinem Sarg darüber, kam aber zu keinem Ergebnis.
Als ich am folgenden Abend verschlafen meinen Sargdeckel öffnete, drang plötzlich eine kaum wahrnehmbare Stimme an mein Ohr, die ich noch nie zuvor gehört hatte.
*„Bo-Bo!“*, wisperte sie immer wieder. *„Bo-Bo!“*
Neugierig stieg ich aus meinem Sarg und versuchte zu ergründen, woher die Stimme kam. Das unaufhörliche Wispern führte mich schließlich direkt zu meiner Fischschüssel. Als ich einen Blick hineinwarf, traute ich meinen Augen kaum. Der Fisch war noch größer geworden, er konnte sich kaum noch bewegen. Und nun schaute er auf einmal mit dem Kopf aus dem Wasser. Sein Maul klappte immer wieder auf und zu.
„Bo-Bo!“, sagte er. „Bo-Bo!“

Ein sprechender Fisch? Davon hatte ich noch nie gehört. Umso aufregender fand ich es.

„Bobo?“, fragte ich ihn. „Ist das dein Name?“

„Bo-Bo! Bo-Bo!“, wiederholte er.

„Gut, dann nenne ich dich ab jetzt Bobo“, sagte ich.

Der Fisch schüttelte den Kopf und streckte ihn ein Stück weiter aus dem Wasser.

„Bro-Ro!“, sagte er. „Bro-Ro!“

„Broro?“ Ich runzelte die Stirn. „Nein, das ist kein schöner Name. Wir bleiben bei Bobo.“

Der Fisch knurrte mich kurz an, dann sprach er wieder.

„Brot! Rot!“, sagte er. „Brot! Rot!“

„Ach so, du willst etwas zu essen“, stellte ich fest. „Sag das doch gleich.“

Neben der Schüssel lag noch ein Stück Brot vom Vortag. Ich nahm es und streckte es ihm entgegen, aber er biss nicht zu.

„Rot!“, sagte er stattdessen. „Rot! Rot! Rot!“

„Rot?“, wiederholte ich verwundert. „Was meinst du denn damit? Du willst rotes Brot? Aber wir haben kein rotes Brot. Das gibt es nämlich überhaupt nicht. Es gibt nur dieses hier. Und das hat dir doch bisher auch immer geschm...“

In diesem Moment fiel es mir wie Schuppen von den Augen. Plötzlich wusste ich, was er meinte. Das Brot. Der Schnitt. Mein Blut. Das Brot mit meinem Blut. Konnte das sein? Hatte mein Blut etwa sein rapides Wachstum ausgelöst? Und wollte er genau deshalb mehr davon?

Ich biss mir vorsichtig in den Finger und ließ ein bisschen Blut auf das Brotstück tropfen. Als ich es Bobo entgegenstreckte, sprang er fast aus seiner Schüssel, um es sich zu schnappen.

„Mein Blut scheint dir zu schmecken“, stellte ich amüsiert fest. „Das kann ich verstehen, ich mag Blut auch am allerliebsten.“

„Blut! Gut!“, sagte Bobo, und ich glaubte, ein Lächeln auf seinem Gesicht zu erkennen. „Blut! Gut!“

„Na, du scheinst mir ja ein waschechter Vampirfisch zu sein!“ Ich lachte.

„Mehr Blut!“, forderte Bobo. „Mehr Blut!“

„Du bist ganz schön gierig“, erwiderte ich. „Aber erst mal besorge ich dir lieber eine größere Schüssel. Aus dieser bist du ja jetzt schon rausgewachsen.“

„Das verstehe ich nicht“, sagt Globinchen. „Der Fisch ist gewachsen, weil er das Blutbrot gegessen hat?“

„Vampirblut hat außergewöhnliche Kräfte“, erklärt Vira.

„In echt?“ Globinchen setzt sich auf. „Das wusste ich noch gar nicht. Und warum wachse *ich* dann nicht schneller?“

„Die Kräfte wirken nicht bei einem selbst“, sagt Vira. „Nur bei Nicht-Vampiren.“

„Schade“, seufzt Globinchen. „Ich wäre so gern schon größer.“

„Das wirst du noch schnell genug“, sage ich.

„Oh!“ Aufgeregt klatscht Globinchen in die Hände. „Aber könnte ich dann mit meinem Blut etwas anderes wachsen lassen? Ein Eichhörnchen! Die sind so süß! Stellt euch das mal vor! Ein Eichhörnchen, so groß wie ein Bär! Oh, das wäre sooooo toll!“

„Ja“, sagt Rhesus, ohne von seinem Handy aufzublicken. „So lange, bis es deinen Kopf mit einer Nuss verwechseln würde.“

„Würde es gar nicht!“, erwidert Globinchen bestimmt. „Nüsse haben nämlich keine Ohren, du Blödi!“

„Ich glaube, man kann auch nicht so einfach alles wachsen lassen, was

man will", sagt Vira. „Vampirblutkräfte wirken sehr unterschiedlich und konnten deshalb auch noch nicht ausreichend erforscht werden."

„Das ist richtig", bestätige ich. „Ich habe zwei Jahrhunderte später noch einmal versucht, einen Fisch wachsen zu lassen. Der ist nicht gewachsen, aber dafür weggeflogen. Man weiß als Vampir nie, wie das eigene Blut auf andere wirkt. Deshalb sollte man unbedingt vermeiden, dass Nicht-Vampire damit in Berührung kommen."

„Woran du dich damals aber offenbar nicht gehalten hast, wenn man sich das Foto anguckt", bemerkt Rhesus trocken. „Dein Fisch ist riesig geworden."

„Oh ja, das ist er", sage ich.

In den folgenden Tagen träufelte ich Bobo immer einen Tropfen Blut auf sein Futter, was zur Folge hatte, dass er rasch in keine von Mamas Schüsseln mehr passte. Nach zwei Wochen war nur noch unser Badezuber groß genug, um ihn unterzubringen. Während ich es großartig fand, endlich jemanden zu haben, der etwas Abwechslung in den Alltag brachte, zeigten sich meine Eltern nicht ganz so begeistert.

„Der frisst uns noch die Haare vom Kopf", stöhnte mein Vater.

„Und das ganze Wasser, das er verbraucht", stimmte meine Mutter mit ein. „Zweimal nächtlich muss ich zwanzigmal mit zwei Eimern runter zum Brunnen laufen, um den

Zuber zu füllen. Das mache ich nicht mehr lange mit. Der Fisch muss weg. Wollt ihr lieber Suppe oder Auflauf?"
„Nein!", protestierte ich vehement. „Das könnt ihr nicht machen! Bobo gehört mir! Ihr habt ihn mir geschenkt!"
Bobo räusperte sich. „Wenn ich mich einmischen dürfte", begann er, denn er hatte mittlerweile sogar gelernt, akzentfrei und wohlartikuliert zu sprechen. „Obwohl ich grundsätzlich der Meinung bin, dass jedes Wesen und insbesondere mutierte Fische das Recht auf ein selbstbestimmtes Leben haben sollten, befinde ich mich nach aktueller Rechtslage ganz eindeutig im Besitz von Vlad, der somit exklusiv und ganz allein über meinen Status in diesem Haushalt entscheiden darf. Und glauben Sie mir, Fischsuppe schmeckt ganz grässlich. Ich muss es wissen, schließlich lebe ich in einer."

„Jawohl!", stimmte ich ihm zu. „Das, was Bobo gesagt hat!"
„Außerdem habe ich das untrügliche Gefühl, Ihnen nur noch für kurze Zeit dermaßen zur Last fallen zu müssen", fuhr er fort. „Wie Sie vielleicht bemerkt haben, kann ich inzwischen sehr gut außerhalb von Wasser atmen. Ich vermute, dass mir Lungen gewachsen sind. Und wenn mich nicht alles täuscht, machen sich in meinem Inneren gerade Gliedmaße auf den Weg nach draußen. Es dürfte demnach nicht mehr allzu lange dauern, bis ich mich

ohne Ihre bislang sehr freundliche und äußerst dankbar angenommene Hilfe werde versorgen können."
Meine Eltern, die Bobos Rede sprachlos gelauscht hatten, nickten stumm. Offensichtlich hatten sie sich die Sache mit dem Haustier etwas anders vorgestellt.

Drei Tage später stieg Bobo aus seinem Zuber und vollführte die ersten, noch sehr wackligen Schritte. Es dauerte nicht lange und er konnte laufen und rennen und springen wie wir alle. Seine Arme entwickelten sich ebenfalls rasant und wurden schnell kräftig. Nicht viel später hörte sein Wachstum komplett auf, egal wie viel Blut ich ihm noch gab. Er war ein ganzes Stück größer als meine Eltern, die sich mittlerweile beruhigt und davon abgesehen hatten, ihn zu Suppe zu verarbeiten. Im Gegenteil, sie waren sogar sehr froh über dieses neue Mitglied unserer Familie, denn Bobo half im Schloss, wo er nur konnte.
Ich für meinen Teil war überglücklich mit Bobos Entwicklung. Mein ursprünglicher Wunsch nach einem Hund war schnell vergessen, hatte ich doch nun so viel mehr. Mit Bobo konnte ich spielen, draußen herumtollen *und* sogar reden – nur dem Stöckchenholen verweigerte er sich hartnäckig, das empfand er als unter seiner Würde.
Dank Bobo waren die nächsten vierhundert Jahre die glücklichsten meines Lebens. Er begleitete mich überall-

hin, ging mit mir zur Vampirschule und auf die Transsilvanische Universität. Bobo war mein bester Freund, mein engster Vertrauter, er war wie ein großer Bruder für mich. Über die Jahrhunderte stellte sich allerdings heraus, dass er nicht ganz so glücklich mit seinem Leben war wie ich. Immer häufiger wirkte er nachdenklich und niedergeschlagen, seine Laune sank stetig. Irgendetwas war offenbar nicht in Ordnung mit ihm. Ich versuchte zu ergründen, woran es lag, fragte ihn, sprach ihn immer wieder direkt darauf an, aber er antwortete stets, dass alles in Ordnung sei. Es dauerte eine ganze Weile, bis ich von selbst dahinterkam, was seine Trübsal verursachte. Auf unserer ersten großen Reise quer durch Europa stellte ich fest, dass sich Bobos Stimmung immer dann spürbar verdüsterte, wenn wir in der Nähe eines Gewässers waren. Dann blieb Bobo jedes Mal stehen und blickte minutenlang seufzend vor sich hin.

„Dir fehlt das Wasser, nicht wahr?", fragte ich ihn, als wir eines Nachts auf der Ponte Vecchio in Florenz standen.

Bobo nickte stumm.

„Kein Wunder", sagte ich und legte mitfühlend meinen Arm um ihn. „Du bist schließlich ein Fisch."

„Ich *war* einmal ein Fisch", widersprach er. „Jetzt bin ich … irgendwas."

„Bist du nicht", erwiderte ich. „Du bist nicht einfach *ir-*

*gendwas,* du bist Bobo, mein treuer Weggefährte, mein bester Freund, mein Bruder. Das ist so viel mehr als nur *irgendwas.*“

„Es ist schön zu wissen, dass ich dir so viel bedeute“, sagte Bobo. „Und ich beschwere mich auch nicht. Ich bin sehr gern dein Bruder. Trotzdem fehlt mir das Wasser.“

„Dann spring doch einfach rein“, schlug ich vor. „Schlüpf aus deiner Kleidung, hüpf hinunter und dreh ein paar Runden. Lass dir Zeit, ich warte hier auf dich.“

Bobo stöhnte auf. „Das würde ich ja gern. Aber es geht nicht.“

Ich sah ihn fragend an.

„Ich bin nicht mehr in der Lage zu schwimmen“, erklärte er. „Ich habe es bereits mehrfach versucht, aber ich komme mit diesen Gliedmaßen im Wasser nicht zurecht.“

„Oh“, sagte ich bestürzt. „Ein Fisch, der nicht schwimmen kann. Das ist allerdings ein Dilemma. Aber kein unlösbares. Lass den Kopf nicht hängen, wir kriegen dich schon wieder ins Wasser, ich habe bereits eine Idee.“

Bobo tat mir sehr leid, und ich fühlte mich natürlich mitschuldig an seinem Problem, schließlich war es mein Blut gewesen, das ihn dem Wasser entrissen hatte. Aber wenigstens wusste ich jetzt, was ihn bedrückte, und konnte ihm helfen.

Als wir zurück in Transsilvanien waren, meldete ich uns

beide sofort im nächstgelegenen Schwimmverein an, und so lernten wir gemeinsam schwimmen. Das heißt, Bobo lernte schwimmen, während ich zwei Monate später immer noch verzweifelt damit beschäftigt war, bloß nicht unterzugehen. Vampirflügel sind leider äußerst hinderlich im Wasser, müsst ihr wissen. Aber ich fand mich schnell damit ab, nicht schwimmen zu können. Wasser war ohnehin nie einer meiner bevorzugten Aufenthaltsorte gewesen.

„Ich mag auch kein Wasser", sagt Globinchen. „Das fühlt sich eklig an auf der Haut. Wenn ich groß bin, werde ich mich nie mehr waschen."

„Du riechst jetzt schon so, als würdest du dich nie waschen", bemerkt Rhesus.

„Gar nicht!", erwidert Globinchen. „Ich war gestern erst in der Badewanne! Außerdem hab ich mir ein bisschen was von Mamas Parfüm gemopst."

„Ach ja? Bist du dir sicher?", fragt Rhesus. „Was stand auf der Flasche? *Eau de Klolette?* Das ist der Abflussreiniger, steht direkt neben Mamas Parfüm."

„Steht er gar nicht!", motzt Globinchen. „Der ist unten im Schrank! Das weiß ich nämlich, weil Mama gesagt hat, ich darf den nicht trinken!"

„Da hat sie recht", sagt Vira. „Der ist giftig, davon kriegst du ganz schlimme Bauchschmerzen."

„Und wenn du dich nicht wäschst, kriegen *wir* ganz schlimme Nasenschmerzen." Rhesus grinst.

„Kriegt ihr gar nicht!“, wehrt sich Globinchen. „Ich rieche nämlich voll gut! Oder, Opa? Hier, riech mal!“

Sie hüpft auf meinen Schoß und drückt sich fest an mein Gesicht.

„Das riecht nicht nach Abflussreiniger, oder?“, fragt sie.

„Nein“, antworte ich. „Du riechst ganz fantastisch, Globinchen.“

„Wie hat Bobo eigentlich gerochen?“, will Vira wissen. „Nach Fisch?“

Ich überlege. „Nur, wenn er gerade aus dem Wasser kam. Sonst war sein Körpergeruch erstaunlich neutral.“

„Was heißt neutral?“, will Globinchen wissen.

„Dass er nach gar nichts gerochen hat“, erklärt Vira.

„Aha, verstehe. Neutral heißt also langweilig“, stellt Globinchen fest.

„Ja, so kann man es auch betrachten“, sage ich lachend. „Mit Bobo war es allerdings nie langweilig.“

Er blühte geradezu auf, als er gelernt hatte, seine Gliedmaßen zum Schwimmen einzusetzen. Von nun an verbrachte er jeden Tag etliche Stunden im Wasser, während der Rest der Familie schlief, und wurde dementsprechend immer besser und vor allem schneller. Es dauerte nicht lange und er war der beste Schwimmer in ganz Transsilvanien. Wenn es die Umstände erlaubten, begleitete ich ihn auf seine Wettkämpfe, was leider viel zu selten war, da sie größtenteils tagsüber stattfanden. Aber Bobo war glücklich und das war für mich die Hauptsache.

Als 1896 die ersten Olympischen Spiele der Neuzeit in

Athen ausgerufen wurden, nominierte der transsilvanische Schwimmverband Bobo für alle drei Schwimmwettbewerbe. Eigentlich gab es sogar vier Wettbewerbe, aber an einem durften nur die Matrosen griechischer Kriegsschiffe teilnehmen, dafür war Bobo nicht qualifiziert. Wir waren so stolz und begleiteten ihn selbstverständlich nach Athen. Mein Vater hatte extra dafür einen riesigen Sonnenschirm anfertigen lassen, unter dem wir alle drei Platz fanden. Wir mussten allerdings höllisch aufpassen, dass wir immer komplett darunter blieben, aber zum Glück fanden alle Schwimmwettbewerbe an einem einzigen Tag statt, und wir überstanden ihn – bis auf eine Brandblase am Schienbein meines Vaters – unbeschadet. Und selbst diese eine schmerzhafte Begegnung mit der Sonne bemerkte mein Vater kaum, denn sie entstand, weil wir im ersten Jubeltaumel begeistert aufsprangen und dabei kurz die Kontrolle über den Schirm verloren. Bobo schwamm an diesem Tag dreimal Weltrekord und gewann alle drei Silbermedaillen. Es war einfach sensationell, wie er …

„Silbermedaillen?“, unterbricht mich Vira. „Ich dachte, er hat gewonnen? Und für einen Olympiasieg gibt es doch eine Goldmedaille.“

„Damals noch nicht“, erkläre ich. „Die Goldmedaillen wurden erst später eingeführt. Die Sieger in Athen erhielten Silber- und die Zweitplatzierten Bronzemedaillen, die Dritten gingen leer aus.“

„Silber ist viel besser als Gold“, bemerkt Rhesus. „Mit Silberkugeln kann man nämlich Werwölfe killen.“

„Über deine Abneigung gegenüber Werwölfen müssen wir ganz dringend reden“, sage ich ernst.

„Wenn's unbedingt sein muss“, brummt Rhesus. „Aber nicht jetzt, ich werde gerade von einem Rudel dieser hässlichen Biester angegriffen. Erzähl lieber weiter von deinem Fisch.“

„Na gut“, sage ich seufzend. „Aber aufgeschoben ist nicht aufgehoben.“

Die Verleihung sämtlicher Medaillen fand am letzten Tag der Spiele statt und zum Glück regnete es währenddessen in Strömen. Bobo genoss den wasserreichen Jubel der Menge sichtlich und wir feierten gemeinsam ausgelassen bis tief in den Tag in einer kleinen griechischen Taverne. Leider währte diese Freude nicht lange. Als wir zurück nach Transsilvanien kamen, teilte uns der Präsident des Schwimmverbandes unter Tränen mit, dass Bobo nachträglich disqualifiziert worden war und seine Siege für immer aus den olympischen Geschichtsbüchern gestrichen wurden. Ihm wurde Doping vorgeworfen, weil sein Blut eine, wie es im offiziellen Bericht hieß, *seltsame Farbe* hatte. Das stimmte natürlich, es besaß einen bläulichen Schimmer, so wie meins, aber das hatte ja nichts mit seinen sportlichen Leistungen zu tun, die hatte er sich durch tägliches Training und mit eiserner Disziplin erarbeitet.

Bobo war am Boden zerstört, schließlich war er kein Betrüger und hatte sich absolut nichts vorzuwerfen. Ich mir hingegen schon. Wieder war mein Blut schuld an Bobos Unglück. Er war sogar dermaßen frustriert, dass er seinem geliebten Schwimmsport für immer den Rücken kehrte.

Um ihn wieder aufzumuntern, plante ich eine Reise zum wasserreichsten und umstritten längsten Fluss der Erde, dem Amazonas.

Es dauerte eine ganze Weile, bis ich Bobo von meinem Vorhaben überzeugen konnte, er hatte keine Lust zu gar nichts und war sehr schlecht gelaunt, aber irgendwie konnte ich ihn doch noch überreden, und wir brachen auf. Während des ersten Teils unserer Reise mit dem Schiff sprach er so gut wie gar nicht und blickte nur miesepetrig aufs Meer hinaus. Als wir uns von Lima aus über Land auf den Weg zur Quelle des Amazonas machten, besserte sich seine Laune allerdings schlagartig.

Mein ursprünglicher Plan sah vor, dass wir den gesamten Fluss in einem größeren Kanu bis nach Brasilien hinunterfahren würden, aber als wir ihn schließlich erreichten, hatte Bobo sofort eine andere Idee. Er wollte den Weg komplett schwimmend zurücklegen, mit meinem Sarg und mir im Schlepptau. Dafür baute er extra für mich einen kleinen Stuhl aus Bambusrohr, den er auf dem

Sargdeckel befestigte. Und schon begann unsere abenteuerliche Fahrt den mächtigen Amazonas hinunter. Nachts ließen wir uns von der Strömung flussabwärts treiben und tagsüber suchten wir uns schattige Plätze im brasilianischen Dschungel.
Es war eine tolle Zeit, Bobo war wieder ganz der Alte und der Olympia-Ärger schien vergessen. Wir redeten nächtelang über dies und das und die Welt, es waren die besten Gespräche meines Lebens.
Hätte ich damals bereits gewusst, dass es unsere letzten Gespräche sein würden, hätte ich sie vielleicht bewusster genossen, aber weder er noch ich konnten schließlich ahnen, was auf dieser Reise noch passieren sollte.

„Oh nein!", ruft Globinchen entsetzt. „Bobo ist verunglückt! Oder ertrunken! Oder von irgendwas gefressen worden! Jedenfalls ist er tot! Wie schrecklich!"

„Nein, nein", beschwichtige ich schnell. „Bobo ist nicht gestorben, keine Sorge. Aber ich wäre es fast."

„Oh nein!", ruft Globinchen. „Opa ist fast gestorben! Das ist ja noch schrecklicher!"

„Ist es nicht", sagt Rhesus. „Er lebt ja noch, wie du siehst."

„Spann uns nicht so auf die Folter, Opa!" Vira rutscht auf dem Sofa näher zu mir heran. „Erzähl weiter."

Es war in einer ansonsten sehr ruhigen Nacht, der Mond schien hell am Himmel, und wir trieben gemütlich auf dem Fluss vor uns hin, als wir plötzlich ein markerschütterndes Grollen aus dem Dschungel hörten. Es waren eindeutig die Laute eines Lebewesens, die den Urwald erschütterten – eines extrem großen Lebewesens, der Lautstärke nach zu urteilen.
Als wir dem Brüllen langsam näher kamen, beschloss ich, seinem Ursprung auf den Grund zu gehen. Ich breitete meine Flügel aus und flog in Richtung der Baumkronen. Vielleicht konnte ich von oben entdecken, wer oder was diesen Lärm verursachte.
Bevor ich die Wipfel jedoch erreicht hatte, stoppte etwas abrupt meinen Flug, ich blieb mitten in der Luft hängen. Es dauerte einen Moment, bis ich merkte, was passiert war – ich hing in einem riesigen Spinnennetz fest, das zwischen zwei Bäumen gespannt war!
Ich zog und zerrte und zappelte mit aller Kraft, aber die klebrigen Fäden machten es mir unmöglich, mich zu befreien. Und dann kam die Spinne. Sie war riesig, größer als ich, und krabbelte unaufhaltsam über die Fäden auf mich zu. Panisch zappelnd versuchte ich, mich loszureißen, aber das machte es nur noch schlimmer. Ich klebte überall fest.
„BOBO“, rief ich verzweifelt, „HILF MIR!“

Meine Hoffnung, dass er mir wirklich helfen konnte, war sehr gering, schließlich konnte er nicht fliegen. Und selbst wenn, was würde er schon gegen diese haarige Riesenspinne ausrichten können?
Sie rückte immer näher auf mich zu.
„HEY!", hörte ich plötzlich Bobos Stimme unter mir. „LASS MEINEN FREUND IN RUHE, DU ACHTBEINIGES MONSTRUM!"
Ich sah, wie Bobo den Baum hinaufkletterte. Die Spinne hörte ihn auch und hielt inne. Sie drehte sich zu ihm um.
„Was fällt Ihnen ein, mich zu duzen?", sagte sie. „Und beleidigend müssen Sie schon gar nicht werden, ich habe Ihnen schließlich nichts getan."
Bobo war mittlerweile auf einem Ast in unserer Höhe angekommen.
„Sie wollen meinen Freund fressen", entgegnete er atemlos. „Da ist eine Beleidigung durchaus angebracht, finde ich. Für mein vorschnelles Duzen entschuldige ich mich. Ich wusste ja nicht, dass Sie sprechen können und Wert auf gehobene Umgangsformen legen."
„Ja, diesbezüglich werde ich oft unterschätzt", sagte die Spinne seufzend.

„Vielleicht wäre das anders, wenn Sie aufhören würden, harmlose Durchreisende zu fangen und zu verspeisen", erwiderte Bobo.

„Ach, Sie denken wohl, das mache ich zum Spaß?", sagte die Spinne entrüstet. „Das ist eine reine Überlebensmaßnahme. Ich muss schließlich essen. Und seit ich so gewachsen bin, kann ich keine feinen Netze mehr spinnen, was zur Folge hat, dass alle Fliegen und Käfer durch die viel zu großen Löcher flutschen und sich über mich lustig machen. Ich bin auf größere Beute angewiesen, und Ihr Freund ist der erste dicke Brocken, der mir seit Langem ins Netz gegangen ist."

„Nun werden *Sie* aber unnötig beleidigend", mischte ich mich ein. „Ich bin weder ein Brocken noch dick. Ich hatte nur ein ausgiebiges Mitternachtsessen, das geht wieder weg."

„Verzeihung", sagte die Spinne. „Der Hunger treibt mich manchmal dazu, meine Mahlzeiten als bereits leblose Objekte zu betrachten. Sie sind selbstverständlich kein Brocken. Sie gehören zur Gattung der Vampire, nicht wahr?"

Ich nickte zustimmend.

„Ich habe schon einmal an einem Vampir geknabbert", erinnerte sich die Spinne. „Danach fing das mit meinem Wachstum an."

„Das erklärt es", sagte Bobo. „Vampirblut besitzt außergewöhnliche Fähigkeiten. Bei mir hat es auch für ein rasantes Wachstum gesorgt."

„Ah, ich wunderte mich bereits", sagte die Spinne und klimperte mit ihren vier Augen. „Ich habe noch nie einen derart stattlichen Fisch auf einem Baum gesehen."

„Oh, wie liebenswürdig!" Bobo errötete leicht. „Ich finde Sie auch sehr ... stattlich."

„Ach, Sie Charmeur", sagte die Spinne und errötete ebenfalls leicht. „Dabei habe ich mir nicht mal die Haare gemacht heute Morgen."

Bobo trat einen Schritt auf sie zu und streckte ihr seine rechte Hand entgegen.

„Bobo", sagte er. „Bobo Fisch. Es ist mir eine große Freude, Sie kennenzulernen. Leider bin ich mit den arachnoiden Umgangsformen nicht vertraut. Welches Ihrer acht entzückenden Beine darf ich denn zur Begrüßung schütteln?"

„Vorne rechts", sagte die Spinne. „Immer vorne rechts."

Bobo nahm ihr vorderes rechtes Bein und schüttelte es sanft.

„Wenn Sie mir jetzt noch Ihren bezaubernden Namen verraten würden, wäre mein Tag perfekt", sagte er.

„Oh ... Ja ... Natürlich ...", sagte die Spinne sichtlich verlegen. „Tarantula. Tallulah Tarantula. Sie dürfen mich gern Tallulah nennen."

„Es ist mir eine Ehre, Tallulah." Bobo verneigte sich. „Und schon sind wir doch beim Du, ich war also vorhin nur ein bisschen voreilig. Und unverschämt, nicht zu vergessen."
Beide fingen an zu lachen.
„Darf ich Ihnen vielleicht eine Tasse Kaffee anbieten?", fragte die Spinne. „Ich habe die Bohnen selbst gepflückt und getrocknet."
„Sehr gern", sagte Bobo. „Gegen eine Tasse Kaffee in reizender Gesellschaft habe ich nie etwas einzuwenden."
„Perfekt." Tallulah setzte ihre acht Beine in Bewegung. „Wenn Sie mir bitte folgen möchten."
„Du", verbesserte sie Bobo. „Wir sind bereits beim Du, Tallulah."
„Ach ja, Verzeihung." Tallulah kicherte. „Das geht alles so schnell, Bobo."
„Unserem Wachstum entsprechend", sagte Bobo. „Wir haben offenbar sehr viel gemeinsam."
Die beiden machten Anstalten, den Baum hinunterzuklettern.
„Äh ... Moment mal!", rief ich. „Was ist denn jetzt mit mir? Werde ich noch gefressen oder nicht? Falls nicht, wäre es schön, wenn mich jemand aus dieser klebrigen Falle befreien könnte."
Eine Viertelstunde später saßen wir bei frisch aufgebrühtem Kaffee im Wohnzimmer des riesigen Baus von Tallu-

lah. Ich glaube, ich bin mir in meinem ganzen Leben nie so überflüssig vorgekommen. Nicht störend überflüssig, gestört habe ich die beiden nicht, ich war für sie quasi überhaupt nicht vorhanden. Sie redeten und redeten und blickten sich dabei verträumt in alle sechs Augen. Nichts um sie herum schien mehr zu existieren. Sie hörten noch nicht einmal das tosend laute Brüllen, das plötzlich wieder ertönte und den gesamten Bau wackeln ließ.

„Was ist denn das?", wollte ich wissen.

„Was meinen Sie?", fragte Tallulah, ohne ihren Blick von Bobo zu nehmen.

„Na, dieses Gebrüll", sagte ich. „Deshalb bin ich überhaupt erst in Ihrem Netz gelandet. Ich wollte wissen, was es verursacht."

„Ach, das", sagte Tallulah entrückt. „Das ist nur Kong."

„Kong?", fragte ich verwundert. „Wer oder was ist ein Kong? Und wieso macht er so einen Lärm?"

„Kong ist ein Gorilla", erklärte Tallulah. „Ein sehr großer Gorilla. Ich nehme an, er ist ebenfalls mit Vampirblut in Berührung gekommen. Wie er hier gelandet ist, weiß ich nicht. Eines Tages war er plötzlich da. Aber er spricht nur Afrikaans, das macht die Kommunikation etwas schwierig. Ich glaube, er ist einsam, weil es hier keine anderen Gorillas gibt und auch sonst niemanden in seiner Größe. Nachts ist es besonders schlimm, aber wir haben uns hier

alle an sein Gejammer gewöhnt und hören es kaum noch. Darf ich dir etwas Kaffee nachschenken, Bobo?"
„Sehr gern, Tallulah", antwortete Bobo. „Das ist der beste Kaffee, den ich je getrunken habe. Aber das ist ja auch kein Wunder bei dieser bezaubernden Gastgeberin."
Und schon war ich für die darauffolgenden Stunden wieder abgemeldet. Und für den nächsten Abend auch. Und den nächsten. Und den nächsten. Ich wäre gern weitergereist, aber jedes Mal fand Bobo einen Grund dagegen. Einmal war ihm das Wetter zu schlecht, am nächsten Abend fühlte er sich zu erschöpft zum Schwimmen,

dann wiederum war das Wetter zu schön. Natürlich spürte ich sehr schnell, was der eigentliche Grund war. In der vierten Nacht fragte ich ihn erneut, ob wir nicht endlich aufbrechen wollten.

„Das ist … Weißt du … Es tut mir ja leid, aber …“, druckste er herum, „ich habe mir heute beim Spazierengehen den Fuß verstaucht. Und zwar ausgerechnet meinen starken rechten Schwimmfuß. Ich könnte es zwar versuchen, aber die Schmerzen sind schon sehr schlimm, ich würde lieber …“

„Ich weiß, Bobo“, sagte ich seufzend, „du würdest lieber noch hierbleiben. Und zwar nicht nur für heute, sondern für immer. Bei Tallulah.“

Bobo sah mich schuldbewusst an.

„Nein … Ja … Das ist es aber nicht nur", sagte er. „Dies ist der erste Ort, an dem ich mich wirklich zu Hause fühle. Nicht nur wegen Tallulah. Es ist noch viel mehr. Das Klima, die Umgebung, der Fluss, als wäre ich endlich heimgekehrt. Dieses Gefühl hatte ich bisher nirgends. Ich wusste nicht mal, dass sich ein Ort so anfühlen kann. Oder eine Person. Das hier ist mein Zuhause. Tallulah ist mein Zuhause. Hier gehöre ich hin."

„Ja." Ich nickte traurig. „Das hatte ich befürchtet."

„Aber ich will dich nicht im Stich lassen", sagte Bobo. „Du bist wie ein Bruder für mich. Ich verdanke dir so viel. Ohne dich wäre ich bereits vor über vierhundert Jahren in einer Tonschüssel gestorben, ohne jemals etwas erlebt zu haben. Ich kann dich doch nicht einfach so verlassen!"

„Oh doch, das musst du sogar", erwiderte ich. „Wenn du hierhergehörst, wenn du nur an diesem Ort glücklich sein kannst, mit Tallulah, dann ist es so. Du warst lange genug trübsinnig. Ich habe mir immer gewünscht, dir dabei helfen zu können, dein Glück zu finden. Nun konnte ich es und das macht mich beinahe so glücklich wie dich. Du musst hierbleiben, Bobo. Auch wenn es bedeutet, dass ich dich wahrscheinlich nie wiedersehen werde."

Bobo umarmte mich und drückte mich fest an sich.

„Danke", sagte er leise. „Du bist der beste Bruder, den ein

Fisch haben kann. Und wir werden uns wiedersehen. Irgendwann. Ganz bestimmt."

„Ja, das werden wir", sagte ich.

„Aber wie wirst du denn jetzt zurückkommen?", fragte Bobo besorgt.

„Mach dir darüber keine Sorgen", sagte ich lächelnd. „Das ist alles schon geregelt. Während du dich in den letzten Nächten mit Tallulah beschäftigt hast, habe ich mich mit Kong angefreundet. Er möchte unbedingt hier weg, am liebsten nach Amerika, weil dort alles so enorm groß sein soll wie er. Ich werde ihn dorthin begleiten, wir reisen noch heute Abend ab."

Und so kam es dann auch. Der Abschied von Bobo war der schwierigste, den ich jemals erleben musste. Ich hatte meinen besten Freund, meinen treusten Gefährten, meinen Bruder verloren. Und obwohl ich für ihn sehr glücklich war, hörte ich erst wieder auf zu weinen, als ich auf Kongs Schulter sitzend bereits das Meer riechen konnte.

„Oh, nein!", schluchzt Globinchen. „Das ist so traurig! Und alles nur wegen einer blöden Spinne! Ich hasse diese dämlichen Viecher! Jetzt noch tausendmal mehr als vorher!"

„Das musst du nicht", sage ich. „Spinnen sind in der Tat sehr liebenswürdig, wenn sie einen nicht gerade fressen wollen. Tallulah war es zumindest. Bobo hätte sich keine bessere Frau aussuchen können."

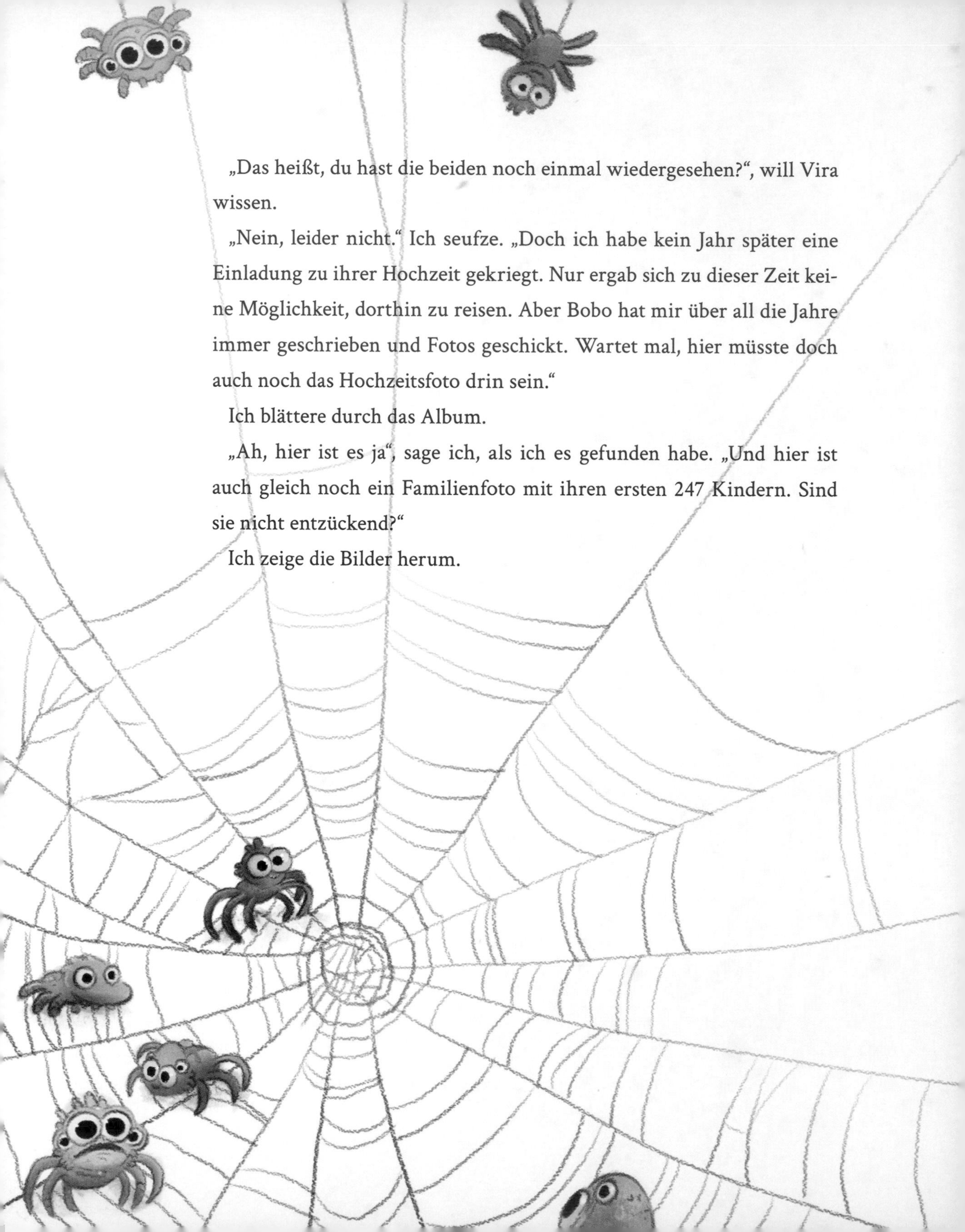

„Das heißt, du hast die beiden noch einmal wiedergesehen?“, will Vira wissen.

„Nein, leider nicht.“ Ich seufze. „Doch ich habe kein Jahr später eine Einladung zu ihrer Hochzeit gekriegt. Nur ergab sich zu dieser Zeit keine Möglichkeit, dorthin zu reisen. Aber Bobo hat mir über all die Jahre immer geschrieben und Fotos geschickt. Wartet mal, hier müsste doch auch noch das Hochzeitsfoto drin sein.“

Ich blättere durch das Album.

„Ah, hier ist es ja“, sage ich, als ich es gefunden habe. „Und hier ist auch gleich noch ein Familienfoto mit ihren ersten 247 Kindern. Sind sie nicht entzückend?“

Ich zeige die Bilder herum.

„Oooooh, die Kleinen sind ja echt süß!“, sagt Globinchen entzückt. „Ein paar haben sogar Mini-Flossen, guckt mal!“

„Ich glaube, sie haben insgesamt über zweitausend Kinder gekriegt“, sage ich. „Der letzte Brief ist jetzt allerdings auch schon über zwanzig Jahre her. Ich hoffe, es geht allen gut.“

„Hast du denn auch brav zurückgeschrieben?“, fragt Vira. „Auf Briefe von Freunden muss man immer antworten.“

„Nein“, muss ich zugeben. „Mir ist leider oft was dazwischengekommen. Aber weißt du, was? Gleich morgen schreibe ich Bobo einen ganz langen Brief. Und ein paar Fotos von euch lege ich auch mit rein.“

„Oh ja, das ist eine tolle Idee!“, ruft Globinchen. „Ich will Fotos machen! Jetzt gleich!“

Sie schnappt Rhesus das Handy aus den Fingern.

„Hey!“, beschwert er sich. „Spinnst du? Ich bin kurz vor Level 8! Wenn ich diesen Werwolf nicht kille, muss ich wieder von vorn anfangen!“

Eine kleine Rangelei entsteht. Ich gehe dazwischen und schnappe mir das Handy.

„Das ist meins!“, meckert Rhesus.

„Kriegst es ja gleich wieder“, sage ich. „Die rennen schon nicht weg, deine Werwölfe. Jetzt machen wir erst mal Fotos.“

Ich betrachte das Handy, das Display ist schwarz. Ich tippe darauf herum, aber nichts passiert.

„Äh …“, sage ich überfordert. „Es müsste mir nur jemand erklären, wie das geht mit diesen Dingern.“

„Gib her“, sagt Rhesus seufzend. „Ich mach das.“

Er tippt dreimal auf das Handy und gibt es mir wieder.

„Für ein Selfie sind meine Arme zu kurz", erklärt er. „Das musst du machen. Einfach auf den Kreis drücken."

„Los, alle auf dem Sofa zusammenkuscheln!", befiehlt Globinchen. „Und ich setze mich auf Opas Schulter!"

Wir rücken alle zusammen, ich strecke meinen Arm so weit wie möglich aus.

„Das ist super!", sagt Globinchen. „Drück drauf!"

Ich drücke auf den Kreis, es klickt kurz.

„Jetzt noch eins mit lustigen Fratzen!", fordert Globinchen.

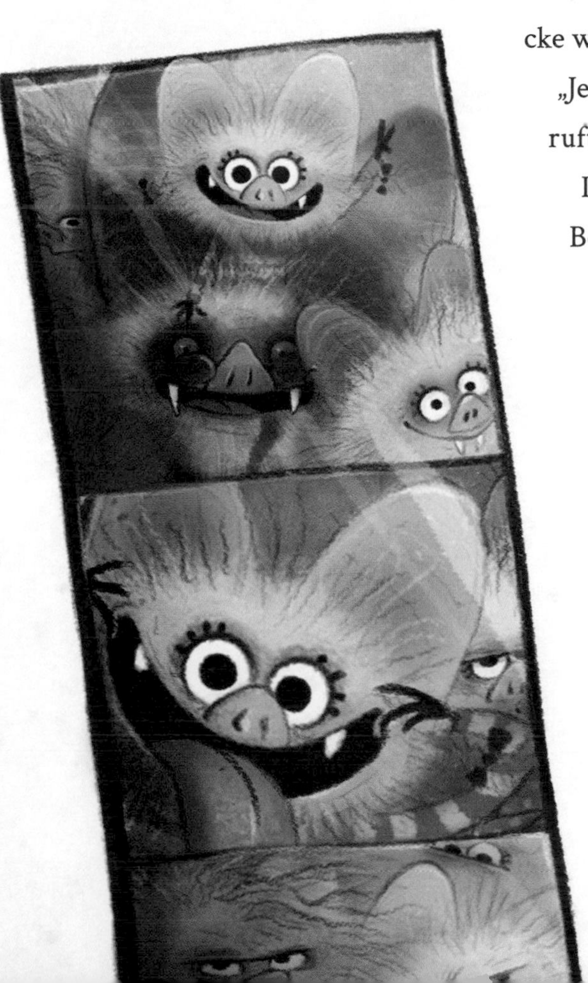

Wir ziehen alle lustige Fratzen, ich drücke wieder auf den Kreis.

„Jetzt noch eins, wo alle böse gucken!", ruft Globinchen.

Ich drücke mit meiner finstersten Bösewicht-Miene noch einmal ab.

„Jetzt noch eins mit alle Zunge rausstrecken!", befiehlt Globinchen.

Wir strecken alle unsere Zungen, so weit es geht, raus.

„Jetzt noch eins …", fängt Globinchen an, aber ich unterbreche sie.

„Das ist genug, mein Arm wird ja schon ganz zittrig."

„Zeig mal!“, fordert Globinchen und wir gucken uns gemeinsam die Bilder an.

„Die sind echt lustig!“ Globinchen lacht. „Ich will die auch haben! Du musst sie ausdrucken, Opa!“

„Das kann eure Oma machen, wenn sie wieder da ist“, sage ich. „Ich habe keine Ahnung, wie der Drucker funktioniert.“

„Ich schicke sie Oma am besten gleich.“ Rhesus tippt wieder auf dem Handy herum. „Und Mama auch, da freut sie sich.“

Globinchen klettert von meiner Schulter herunter, schnappt sich das Fotoalbum und blättert es hektisch durch.

„Was machst du denn da?“, fragt Vira. „Wenn du so schnell blätterst, kannst du doch die Fotos gar nicht angucken.“

„Ich suche freie Plätze“, erklärt Globinchen. „Unsere Fotos müssen doch auch da rein. Oder, Opa?“

„Natürlich kommen die da rein“, sage ich. „Hinten müsste noch ganz viel Platz sein, ich habe lange keine Fotos mehr eingeklebt.“

Globinchen blättert nach hinten, ein Foto fällt dabei aus dem Album.

„Offenbar hast du manche Fotos gar nicht eingeklebt“, stellt Vira fest und hebt es vom Boden auf. „Oh, wer ist das denn?“

Sie streckt uns das Foto entgegen.

„Oje, der Arme!“, sagt Globinchen entsetzt. „Was ist denn mit dem Schlimmes passiert? Hat er sich etwa alle Knochen auf einmal gebrochen?“

„Quatsch“, sagt Rhesus. „Der hat sich nichts gebrochen. Das ist eine ägyptische Mumie, sieht man doch gleich an dem Sarkophag, in dem er liegt.“

„Eine Mumie?“, fragt Vira. „Etwa *die* Mumie? Die Mumie, die wieder auferstanden ist und sehr böse sein soll?“

Ich lache. „Ja, das dachte ich auch, als ich sie zum ersten Mal gesehen habe. Oder besser gesagt: ihn. Das ist nämlich gar keine Mumie, sondern mein guter Freund Jack.“

„Ha! Ich hatte also recht!“, sagt Globinchen. „Aber wie hat der arme Jack sich denn alle Knochen gebrochen? Ist er auch aus einem Flugzeug gefallen wie du?“

Ich betrachte schmunzelnd das Foto. „Nein. Jack musste zwar öfter mal aus einem Flugzeug *springen,* aber gebrochen hat er sich dabei nie etwas.“

„Ja, aber warum war er dann am ganzen Körper bandagiert?“, will Vira wissen. „Das muss doch einen Grund gehabt haben.“

„Hatte es auch“, sage ich. „Und wenn ich euch den erzähle, werdet ihr mindestens genauso überrascht sein, wie ich es damals war.“

„Oh ja, ich mag Überraschungen!“, sagt Globinchen. „Los, Opa! Erzähl schon!“

„Na gut“, beginne ich geheimnisvoll. „Dann erzähle ich euch jetzt …“

*Kairo, 1921*

# Die Geschichte von der Mumie, die keine war

Es war im Jahre 1921 in Kairo, nur wenige Tage nachdem Van Helsing mich aus dem Flugzeug geworfen hatte und ich nur mit Mühe und Not den Aufenthalt in der Wüste überlebte. Dies geschah übrigens auf einem Nachtflug von Marokko nach Kairo und war nicht etwa Van Helsings Gerissenheit zu verdanken, sondern meiner eigenen Dummheit. Van Helsing wusste überhaupt nicht, dass wir im selben Flugzeug saßen, ich auch nicht, das war reiner Zufall.

Der Flug verlief ohne nennenswerte Zwischenfälle, ich konnte sogar ein bisschen schlafen. Irgendwann wurde ich allerdings von meinem laut schnarchenden Sitznachbarn geweckt. Noch schlaftrunken stand ich auf und hielt Ausschau nach einem freien Sitz auf der anderen Seite des Flugzeugs. Weiter hinten sah ich einen einzelnen Mann in einer Zweierreihe. Er hatte seinen Hut tief ins Gesicht gezogen und schlief offenbar, denn er reagierte nicht auf meine Frage, ob ich mich neben ihn setzen dürfte. Ich zwängte mich an ihm vorbei, nahm auf dem Fenstersitz Platz und schlief rasch wieder ein. Als ich aufwachte und nach rechts blickte, wünschte ich mir sofort, ich hätte mir den Mann neben mir vorher etwas genauer angeguckt. Er hatte bereits seinen Holzpflock gezückt und kauerte drohend über mir.

„Haha, jetzt hab ich dich endlich, ruchloser Vampir!“, rief

Van Helsing triumphierend. „Diesmal gibt es kein Entkommen!“
Es sah ganz danach aus, als würde er diesmal recht behalten, meine Lage erschien aussichtslos. Der Holzpflock schoss auf mich herab. War es das? Hatte nun tatsächlich mein letztes Stündlein geschlagen? Ich schloss meine Augen und spürte, wie der Pflock meinen Brustkorb direkt über dem Herzen traf – der erwartete schmerzhafte Stich blieb allerdings aus. Stattdessen hörte ich Van Helsing fluchen.

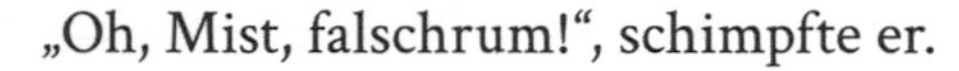

„Oh, Mist, falschrum!“, schimpfte er.
Sehr erleichtert, doch noch nicht tot zu sein, öffnete ich meine Augen wieder und sah, wie Van Helsing in der Enge der Sitzreihe umständlich versuchte, den Holzpflock umzudrehen, dabei aber mit dessen Spitze in einem Knopfloch seines Mantels hängen blieb.
Das war meine Chance! Ich schaffte es irgendwie, meine Beine anzuziehen, und stieß ihn mit einem beidfüßigen Tritt von mir weg. Er taumelte rückwärts und fiel im Gang auf den Boden.
Blitzschnell sprang ich auf. Ich musste flüchten, mich verstecken, irgendwie weg von ihm, aber wir waren schließlich in einem Flugzeug, meine Fluchtmöglichkeiten waren begrenzt. Ich konnte nicht einmal meine Flügel ausbreiten und davonfliegen. Also stieg ich über den auf

dem Gang liegenden Van Helsing, der mich kurzerhand am Bein festhielt und zu Fall brachte. Wir rangelten eine Weile auf dem Boden hin und her, bis ich mich befreien konnte. Ich hechtete in den hinteren Teil des Flugzeugs, er mir hinterher. Schon kriegte er mich wieder zu fassen. Da versetzte ich ihm einen Fausthieb, er torkelte rückwärts und krachte gegen die Ausstiegsluke des Flugzeugs. Als er nach dem Öffnungsriegel griff, um sich wieder aufzurappeln, öffnete sich die Luke. Der Sog zog Van Helsing in Sekundenschnelle nach draußen. Er konnte sich gerade noch mit aller Kraft an dem Griff festhalten, seine Beine flatterten bereits draußen in der Luft.

Es wäre ein Leichtes für mich gewesen, seine Hände von dem Griff zu lösen und ihn somit loszuwerden. Aber irgendwie tat mir der alte Trottel leid, wie er da so hing, also zog ich ihn zurück ins Flugzeug. Vielleicht würde er nach dieser versöhnlichen Geste ja endlich damit aufhören, mir ständig nach dem Leben zu trachten?

„Wieso … hast du … das … gemacht?“, fragte er mich keuchend.

„Weil ich nicht so böse bin, wie du denkst", antwortete ich. „Ich bin eigentlich überhaupt nicht böse. Wenn du nicht immer gleich versuchen würdest, mich umzubringen, könnten wir vielleicht sogar Freunde werden. Du hast doch sicher auch etwas Besseres zu tun, als mir ständig hinterherzujagen, das ist doch nicht nur für mich lästig. Hm? Was sagst du? Frieden?"
Ich streckte ihm meine Hand zur Versöhnung entgegen. Er sah mich an, ein Lächeln zog über sein Gesicht, als er nach meiner Hand griff – und mich mit einem Ruck aus dem Flugzeug beförderte.
„Haha!", hörte ich ihn noch triumphierend rufen. „Guten Flug! Grüß mir die Sonne! Stirb, Elendiger!"

„Oh, dieser fiese, fiese Zombie!“, schimpft Globinchen. „So was macht man nicht! Du hast ihm doch geholfen!“

„Es wird einem leider nicht immer gedankt, wenn man hilfsbereit ist“, sage ich. „Davon darf man sich aber nicht abhalten lassen. Ich würde es heute genauso wieder machen.“

„Ich hätte ihn gekillt“, sagt Rhesus. „Eiskalt. Wie einen Werwolf. Ein Schuss, das war's. Bei Zombies müssen es noch nicht mal Silberkugeln sein.“

„Ja, genau, du hättest ihn gekillt“, frotzelt Vira. „Auf deinem Handy vielleicht. In echt rennst du ja schon schreiend weg, wenn irgendwo ein Licht angeht.“

„Mach ich überhaupt nicht“, grummelt Rhesus. „Das war nur einmal, da hab ich mich ganz kurz erschreckt, als Papa mir mit der Taschenlampe voll ins Gesicht geleuchtet hat.“

„Von wegen nur einmal“, kichert Vira. „Papa veräppelt dich ständig mit der Taschenlampe und du fällst jedes Mal drauf rein.“

„Gar nicht“, brummt Rhesus.

„Ich hab ja gar keine Angst vor Licht“, sagt Globinchen stolz. „Nur manchmal ein ganz kleines bisschen, wenn es blitzt.“

„Oh, ihr wisst ja nicht, wie sehr ich mir einen Blitz herbeigewünscht habe in den drei Tagen in der Wüste“, sage ich.

„Das war bestimmt schlimm“, sagt Vira. „Wie hast du das überhaupt überlebt, so ganz ohne Nahrung?“

„Das war reines Glück“, erkläre ich. „In der zweiten Nacht lief mir ein verirrtes Kamel über den Weg. Auch wenn ich sonst keine Tiere beiße, in diesem Fall ging es nicht anders. Ich habe aber nur so viel von ihm getrunken, wie ich brauchte, um Kraft fürs Weiterfliegen zu tanken."

„Und dann hast du die Mumie getroffen!", sagt Globinchen.

„Die gar keine war", ergänzt Vira.

„Nicht sofort", sage ich. „Das war einen Tag später."

Mit allerletzter Kraft erreichte ich Kairo gegen Mitternacht. Ich wollte nur noch schlafen, möglichst ohne dabei Sand einzuatmen, also suchte ich nach einem ungestörten Unterschlupf. Ich irrte durch die Straßen, bis ich irgendwann vor dem Ägyptischen Museum stand. Wissend, dass ich dort zumindest für diese Nacht meine Ruhe haben würde, und viel zu erschöpft, um weiterzusuchen, beschloss ich, dort zu schlafen. Auf der Rückseite fand ich eine Tür, die nur dürftig verriegelt war. Dort brach ich ein und stellte erleichtert fest, dass das Museum einen Keller hatte, in dem zwischen lauter Artefakten sogar einige Sarkophage standen, einer davon schien von der Größe her wie für mich gemacht zu sein. Doch als ich den Deckel öffnete, kriegte ich den Schreck meines Lebens: Der Sarkophag war bereits belegt, und zwar von einer Mumie! Das allein hätte mich natürlich nicht so sehr erschreckt – wo sonst als in einem Sarkophag in einem ägyptischen Museum hätte man mit einer Mumie rechnen müssen? Aber diese Mumie war anders, sie war nämlich äußerst lebendig.

Kaum hatte ich den Deckel angehoben, sprang sie wie ein Teufel aus der Kiste und richtete eine Pistole auf mich.
„Hände hoch!“, knurrte mich die Mumie an. „Wer sind Sie? Russischer Geheimdienst? Amerika? Frankreich? Woher wussten Sie, dass ich hier bin? Wer weiß noch davon? Gibt es einen Maulwurf im MI6? Wer ist das Verräterschwein? Los, raus mit der Sprache!“
„Nein, nein!“, sagte ich mit erhobenen Händen. „Ich bin nur ein harmloser Vampir auf der Suche nach einem Schlafplatz! Verzeihen Sie bitte, wenn ich Sie gestört habe! Ich konnte ja nicht ahnen, dass Sie da drin sind! Und dann auch noch so lebendig!“
„Ein Vampir?“, fragte er argwöhnisch. „Zeigen Sie mir mal Ihre Zähne.“
Ich tat, wie mir befohlen, und ließ meine Fangzähne aufblitzen.
„Sehr imposant“, stellte er fest. „Könnten aber auch falsch sein. Hände schön oben behalten. Ich taste Sie jetzt nach Waffen ab.“
Er begann, mich von oben bis unten abzutasten.
„Ich versichere Ihnen, dass meine Zähne nicht falsch sind“, sagte ich. „Soll ich Sie zum Beweis mal kurz beißen?“
„Das könnte Ihnen so passen“, knurrte die Mumie. „Aber Sie scheinen sauber zu sein.“
„Das würde mich wundern nach vier Tagen in der Wüs-

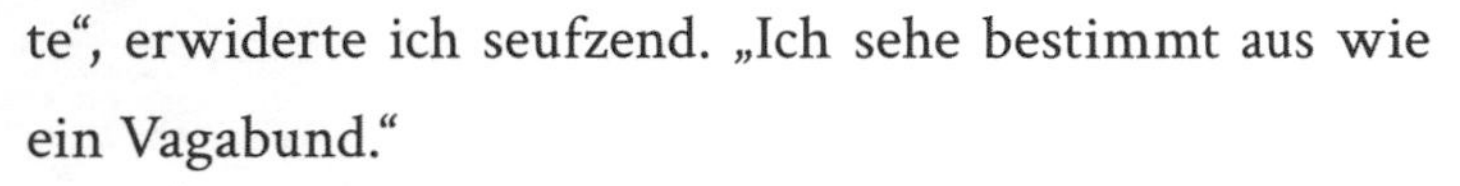

te“, erwiderte ich seufzend. „Ich sehe bestimmt aus wie ein Vagabund.“

„Das meinte ich nicht“, sagte die Mumie. „Mit *sauber* meinte ich, dass Sie keine Waffen tragen. Ihre Unkenntnis dieses Ausdrucks lässt mich dazu neigen, Ihre Geschichte zu glauben. Außerdem tragen alle Geheimagenten Waffen, das gehört zu unserer Berufskleidung. Demnach sind Sie kein Geheimagent.“

„Sie aber“, stellte ich fest.

„Wer hat Ihnen das verraten?“, knurrte er mich mit der Pistole vor meinem Gesicht herumfuchtelnd an.

„Äh … Sie. Sie haben mir das verraten“, sagte ich. „Eben gerade.“

„Stimmt genau“, sagte er lachend und steckte die Pistole vorn in seinen Verband. „Das war nur ein Test. Griffin, mein Name. Jack Griffin. Kannst mich Jack nennen.“

Er streckte mir die Hand entgegen, ich schüttelte sie.

„Vlad“, stellte ich mich ihm vor. „Vlad Dracula. Ist Jack nicht ein sehr ungewöhnlicher Name für eine Mumie?“

„Ach, das ist doch nur Tarnung“, sagte Jack. „Wir Geheimagenten verkleiden uns ständig, das gehört zum Beruf.“

Ich zog die Augenbrauen hoch. „Interessant! Aber sollte man als Geheimagent nicht möglichst unauffällig sein? Ich könnte mir vorstellen, dass eine herumlaufende Mumie eher für unwillkommene Aufmerksamkeit sorgt.“

Jack hob die einbandagierten Arme. „Das ist eine Ausnahme. Ich laufe so ja nicht draußen herum, das wäre in der Tat viel zu auffällig. Aber ich arbeite gerade an einem sehr heiklen Auftrag. Die Ägypter haben einen unserer Wissenschaftler entführt. Er hat ein Serum entwickelt, hinter dem jeder Geheimdienst der Welt her ist. Ich muss ihn befreien und zurückholen. Ein Informant hat mir verraten, dass sie ihn heute Nacht hierherbringen werden. Die Verkleidung als Mumie habe ich gewählt, um die Schurken erschrecken zu können, damit rechnen sie nicht. Bei dir hat es ja schon bestens funktioniert."

„Stimmt." Ich nickte anerkennend. „Du hast mich ganz schön erschreckt."

„Natürlich, ich bin ein Profi", sagte Jack. „Und deshalb muss ich jetzt zurück in den Sarkophag, sie könnten jeden Moment hier auftauchen."

„Hättest du etwas dagegen, wenn ich hierbleibe?", fragte ich. „Ich bin einfach zu erschöpft, um mir jetzt noch einen anderen Schlafplatz zu suchen."

„Schnarchst du?", wollte Jack wissen.

„Nein, Vampire schnarchen nicht."

„Dann ist ja gut", sagte Jack. „Dahinten in der Ecke ist noch ein Sarkophag frei, den kannst du nehmen. Bleib aber da drin, egal, was du hörst, verstanden? Es könnte sehr gefährlich werden."

„Kein Problem“, erwiderte ich. „Wenn ich erst mal schlafe, höre ich sowieso nichts mehr. Vampire haben einen sehr tiefen Schlaf.“

„Perfekt.“ Jack stieg zurück in seinen Sarkophag. „Schlaf gut. War schön, dich kennenzulernen.“

„Danke, gleichfalls“, sagte ich und machte es mir in dem anderen Sarkophag gemütlich.

Es dauerte keine Minute und ich war fest eingeschlafen.
So tief, wie erwartet, schlief ich allerdings nicht, was wahrscheinlich daran lag, dass ich nachts normalerweise wach bin. Ich wusste nicht, wie lange ich geschlafen hatte, als ich von lauten Stimmen, die durch den Sarkophag an meine Ohren drangen, geweckt wurde. Es waren mindestens zwei Personen, sie sprachen arabisch und klangen sehr aufgeregt. Dann hörte ich Jack.
„Lasst den Doktor sofort los!", schrie er. „Er kommt mit..."
Seine Stimme verstummte ruckartig, ein dumpfes Geräusch war zu hören, es klang, als wäre ein Sack Mehl umgefallen. Dann ertönten wieder die arabischen Stimmen, aber deutlich leiser als vorher. Kurz darauf hörte ich noch ein paar Schritte, dann nichts mehr.
Ich wartete noch eine ganze Weile, bis ich zaghaft den Deckel meines Sarkophags öffnete. Das Erste, was ich sah, war eine flach auf dem Boden liegende, reglose Mumie – sie hatten Jack offenbar überwältigt. Ich kletterte aus dem Sarkophag und ging zu ihm.
„Jack?", fragte ich und rüttelte leicht an seiner Schulter, aber er reagierte nicht.
Ich drehte ihn vorsichtig um, sein Brustkorb hob und senkte sich leicht, er war also noch am Leben. Sein Mumienverband zeigte eine deutliche Wölbung an seiner Stirn, sie hatten ihn wohl bewusstlos geschlagen.

„Jack!", sagte ich etwas lauter. „Jack! Hörst du mich? Du musst aufwachen!"
Doch Jack zeigte keinerlei Reaktion. Blut war keins zu entdecken, aber vielleicht war die Verletzung ja schlimmer, als es aussah? Ich beschloss, den Verband um seinen Kopf herum zu entfernen, um nachzuschauen.
Vorsichtig schob ich eine Hand unter seinen Hinterkopf und hob ihn an. Mit der anderen Hand begann ich, den Verband abzuwickeln. Als ich die Stelle freilegte, unter der sein Mund hätte sein sollen, hielt ich verwundert inne. Was ich sah, waren nämlich keine Lippen, sondern ... meine eigene Hand unter seinem Kopf! Mir stockte der Atem, während ich schnell den Rest auswickelte. Als ich damit fertig war, blickte ich fassungslos auf eine Mumie ohne Kopf. Wobei Jacks Kopf ja tatsächlich vorhanden war, ich konnte ihn deutlich in meiner Hand spüren, er war nur nicht zu sehen. Nachdem ich noch einen seiner Füße und eine Hand vom Verband befreit hatte, gab es keinen Zweifel mehr: Jack war unsichtbar!

„Oh, wie toll!", ruft Globinchen. „Ich wär auch gern unsichtbar! Dann würde ich beim Versteckenspielen immer gewinnen, weil mich niemand findet! Und ich könnte alle veräppeln und würde nie Ärger kriegen! Weil dann niemand weiß, dass ich es war!"

„Das funktioniert aber nur, wenn du auch *unhörbar* bist", sagt Rhesus.

„Und das wird nicht passieren, du kannst deine große Klappe nämlich nie halten."

„Kann ich wohl!", erwidert Globinchen. „Ganz lange sogar! Einmal hab ich sogar drei Tage lang gar nichts gesagt!"

„Ja", bestätigt Rhesus, „weil du eine Halsentzündung hattest und nicht reden *konntest.*"

„Na und?" Globinchen verschränkt die Arme vor der Brust. „Das zählt trotzdem! Wie wird man unsichtbar, Opa? Kann ich das auch?"

„Genau, erzähl weiter", sagt Vira. „War dieser Jack schon von Geburt an unsichtbar? Oder wie ist das passiert? Ich tippe ja auf ein schiefgelaufenes Experiment oder so."

„Das ist fast richtig", sage ich. „Nur, dass dieses Experiment nicht schiefgelaufen war, im Gegenteil."

Es dauerte zum Glück nicht lange, bis Jack wieder aufwachte. Der Oberkörper der Mumie erhob sich neben mir und ein Stöhnen erklang.

„Ooooh, verdammt", hörte ich Jacks Stimme. „Die haben mich ganz schön erwischt. Wie lange war ich ohnmächtig?"

„Nicht lange", antwortete ich. „Ich bin gleich aus dem Sarkophag geklettert, als sie weg waren, das ist erst ein paar Minuten her."

Der Arm mit der freigewickelten Hand hob sich vor den unsichtbaren Kopf.

„Wer hat den Verband entfernt?“, wollte Jack wissen. „Warst du das?“

„Ja, sagte ich. „Ich wollte mir deine Kopfverletzung ansehen.“

„Dann kennst du jetzt also mein Geheimnis“, stellte Jack fest. „Du darfst es niemandem verraten. Das ist extrem wichtig. Kannst du mir das versprechen?“

„Versprochen“, sagte ich. „Wie ist das denn passiert? Du warst doch wohl nicht schon immer unsichtbar?“

„Nein“, antwortete Jack. „Vor einem Jahr war ich noch ein ganz normaler Geheimagent. Dann wurde im MI6 ein Freiwilliger für ein Experiment gesucht und ich habe das kürzeste Streichholz gezogen. Es ging um ein Serum, das uns einen enormen Vorteil gegenüber allen anderen Spionen verschaffen würde, mehr sagte man mir nicht. Als ich das Serum getrunken habe, ist zuerst nichts passiert. Dann hat mein gesamter Körper angefangen zu vibrieren, und es fühlte sich an, als würde ich innerlich explodieren. Die Schmerzen wurden unerträglich und ich brach ohnmächtig zusammen. Drei Tage später wachte ich wieder auf und war unsichtbar. Das Serum hatte funktioniert.“

„Wahnsinn“, sagte ich. „Das bedeutet, es gibt noch mehr unsichtbare Geheimagenten?“

„Nein, ich bin bisher der einzige“, antwortete Jack. „Mein Chef wollte erst einmal abwarten, ob mein Zustand von

Dauer sein würde. In der Zwischenzeit haben aber leider andere Geheimdienste davon erfahren und natürlich will jetzt jeder dieses Serum."

„Verständlich", sagte ich. „Wer über unsichtbare Agenten verfügt, hat einen enormen Vorteil, wenn es um Spionage geht."

„So ist es", stimmte Jack mir zu. „Glücklicherweise existiert die Formel für das Serum nur im Kopf des Wissenschaftlers, sie konnte nicht einfach so gestohlen werden. Nun hat man aber den Wissenschaftler selbst entführt, und ich muss ihn unbedingt befreien, bevor sie die Formel aus ihm herauspressen. Was mich allerdings stutzig macht, ist, dass diese Kerle keine Geheimagenten waren, dafür waren sie viel zu unprofessionell. Das hilft mir aber leider auch nicht weiter, sie sind weg. Du hast nicht zufällig etwas aufgeschnappt, bevor sie gegangen sind? Haben sie noch etwas gesagt?"

„Ja", antwortete ich. „Aber sie haben arabisch gesprochen."

Ich überlegte angestrengt, ob ich vielleicht doch etwas verstanden haben könnte. Doch, da war ein Wort, das mir bekannt vorkam.

„*Babylon*", sagte ich, „ich glaube, sie haben *Babylon* gesagt, kurz bevor sie gegangen sind. Hilft dir das irgendwie weiter?"

„Babylon?“ Jack begann, sich wieder einzuwickeln. „Das ist eine alte Festung hier in Kairo. Wahrscheinlich haben sie ihn dorthin gebracht. Das ist zwar nicht viel, aber immerhin ein Anhaltspunkt. Dann mache ich mich am besten gleich auf den Weg. Danke, du hast mir sehr geholfen.“

„Soll ich mitkommen?“, bot ich an. „Ich könnte dir suchen helfen. Vier Augen sehen mehr als zwei.“

„Hm“, sagte Jack nachdenklich. „Das stimmt natürlich. Aber du bist kein ausgebildeter Geheimagent. Das könnte gefährlich werden. Ich will nicht, dass dir etwas passiert.“

„Keine Sorge, einen Vampir bringt so schnell nichts um“, sagte ich und zwinkerte ihm zu. „Und ich kann fliegen.“

„Fliegen?“ Jack klatschte in die Hände. „Das ist ja fast so praktisch, wie unsichtbar zu sein. Alles klar, dann lass uns keine Zeit verlieren.“

Wir verließen das Museum. Es herrschte zum Glück noch immer tiefste Nacht, die Straßen waren menschenleer – beste Voraussetzungen für einen Vampir und eine Mumie, um nicht aufzufallen.

„Wie weit ist es bis zu dieser Festung?“, fragte ich.

„Zu Fuß mindestens eineinhalb Stunden“, sagte Jack.

„Das dauert zu lange.“ Ich breitete meine Flügel aus. „So geht es schneller. Halt dich an meinen Füßen fest.“

Jack klammerte sich an meine Füße und wir hoben mühsam ab. Mit einem ausgewachsenen Mann im Schlepptau war ich noch nie geflogen und es kostete mich sehr viel Mühe und Kraft, aber eine Viertelstunde später hatten wir es geschafft. Ich landete im Schutz eines kleinen Palmenhains am Fuß der Festung.

„Und jetzt?“, fragte ich Jack. „Spazieren wir einfach rein?“

„Nein, das ist zu riskant“, flüsterte er. „Wir müssen möglichst unauffällig herausfinden, ob sie überhaupt da drin sind.“

Er fing an, den Verband um seinen Körper herum komplett abzuwickeln. Als er damit fertig war, konnte ich nichts mehr von ihm sehen.

„Ich schaue mich in den unteren Etagen um“, sagte er. „Würdest du die oberen übernehmen? Einfach an den Fenstern vorbeifliegen und gucken, ob du irgendetwas Verdächtiges siehst. Aber auf keinen Fall eingreifen, falls du etwas entdeckst. Überlass das mir, ich weiß, was ich tue. Wir treffen uns in einer Viertelstunde wieder hier.“

„Gut, bis dann.“ Ich hörte, wie seine Schritte sich entfernten, und hob ab. Wie in jeder Ruine gab es keine Fensterläden, also konnte ich überall gut hineinsehen. Als ich an der Rückseite der Festung vorbeiflog, entdeckte ich einen kleinen Lichtschimmer im Inneren, ein kaum sichtbares Flackern erhellte die ansonsten vorherrschende Finsternis. Neugierig flog ich darauf zu. Ich hörte eine Stimme. Verstehen konnte ich sie nicht, dafür war sie zu weit weg, aber sie sprach definitiv nicht arabisch.

Ich schwebte ins Innere und schlich langsam heran. Als ich nah genug an der beleuchteten Öffnung war, spähte ich vorsichtig um die Ecke und blickte in einen von Kerzen erhellten Raum. Zwei Männer standen mit dem Rücken zu mir. Einer war damit beschäftigt, an einem Tisch voller Laborutensilien verschiedene Flüssigkeiten zu vermischen, der andere stand neben ihm und redete.

„Machen Sie nicht so ein Gesicht. Sie erweisen der gesamten Menschheit damit einen großen Dienst", sagte er.

„Wohl eher Ihnen persönlich", brummte der Mann am Tisch. „Sie wissen ganz genau, dass ich das nie machen würde, wenn Sie nicht gedroht hätten, mich zu beißen."

Beißen? Diese Drohung zeigte normalerweise nur eine Wirkung, wenn sie ein Angehöriger meiner Gattung aussprach. War der Entführer etwa ein Vampir?
„Ach, jetzt seien Sie mal nicht so kleinlich", sagte er. „Manche Leute muss man eben zum Glück der Menschheit zwingen. Glauben Sie mir, Sie werden mir noch dankbar sein, wenn ich diese widerlichen Blutsauger endlich ein für alle Mal ausgerottet habe."
Plötzlich wusste ich sehr genau, wer der Mann dort vor mir war. Ich hatte nicht damit gerechnet, ihn so schnell wiederzusehen, aber die Art, wie er *widerliche Blutsauger* sagte, ließ keinen Zweifel – das war Van Helsing!

„Den obersten Blutsauger, diesen elenden Dracula, habe ich bereits auf dem Flug hierher erledigt", fuhr er fort. „Und sobald ich unsichtbar bin, geht es dem ganzen Rest an den blutigen Kragen. Kein Vampir wird jemals eine Chance gegen mich haben, sie werden mich nie kommen sehen. Ich werde nur kurz meinen Namen hauchen, bevor ich ihnen einen Pflock ins Herz ramme und dabei zusehe, wie sie jämmerlich winselnd vor mir zu Asche zerbröseln. Haha! Dann bin ich unsterblich und unsichtbar und gehe als größter Vampirjäger aller Zeiten in die Geschichte ein!"
„Von mir aus", brummte der andere Mann, während er ein Reagenzglas über eine Flamme hielt. „Hauptsache, ich kann bald wieder nach Hause. Und zwar nicht als Zombie."

„Das liegt ganz bei Ihnen", sagte Van Helsing. „Wann sind Sie denn endlich fertig?"
„Gleich", antwortete der Wissenschaftler. „Noch dreimal rühren und eine Minute ruhen lassen, dann ist es so weit."
Ich hatte genug gesehen. Es war an der Zeit, Jack Bescheid zu sagen. Er war der Profi, er würde locker mit Van Helsing fertigwerden.
Wäre ich auch ein Profi gewesen, wäre das, was folgte, vielleicht nicht passiert. Als ich mich umdrehte, um zu verschwinden, packten mich vier sehr kräftige Hände an den Armen – ich hatte Van Helsings Gehilfen vergessen. Sie sagten irgendetwas auf Arabisch und zerrten mich in den Raum. Als Van Helsing sich umdrehte, sprangen seine Augen beinahe aus ihren Höhlen.
„Was ... Wie ... *Du?*", stammelte er ungläubig. „Aber ich habe dich doch ... Du müsstest doch ... Wieso bist du nicht tot?"
„Weil du wieder einmal jämmerlich versagt hast", antwortete ich und konnte mir ein Lachen nicht verkneifen. „So wie jedes Mal. Sieh es endlich ein: Du wirst mich nie töten."
„Oh, doch, das werde ich", erwiderte Van Helsing mit einem diabolischen Grinsen. „Und zwar jetzt gleich. Diesmal gibt es kein Entrinnen, du wirst mich nicht einmal kommen sehen. Doktor, ist das Serum fertig?"
Der Wissenschaftler nickte und reichte ihm ein Reagenzglas mit einer grünen Flüssigkeit.

„Haha!“, rief Van Helsing triumphierend. „In diesem kleinen Behältnis steckt der Untergang der Vampire! Sieh mich genau an, Dracula! Es wird das letzte Mal sein, dass du in das Antlitz deines Verderbens blickst!“
Er hob das Reagenzglas an die Lippen und kippte den Inhalt hinunter. Drei Sekunden später fing sein Körper an zu vibrieren und er schrie schmerzerfüllt auf. Noch während er schrie, konnte man deutlich sehen, wie sein Gesicht und

seine Hände immer blasser wurden, bis die Farbe komplett aus ihm wich und er tatsächlich unsichtbar war.
„Haha!", rief er, als der Vorgang beendet war. „Es hat funktioniert! Ihr könnt mich nicht mehr sehen!"
„Doch, können wir", erwiderte ich. „Deine Kleidung ist nämlich nicht unsichtbar."
„Oh, stimmt. Augenblick, das haben wir gleich."
Wir sahen, wie nach und nach seine Kleidung auf den Boden fiel.
„So, jetzt aber!", ertönte seine Stimme. „Haha! Ihr könnt mich nicht mehr sehen!"
„Äh … doch", sagte ich. „Du hast deine Unterhose vergessen."
„Was denn, die muss ich auch ausziehen?", fragte Van Helsing. „Aber dann bin ich doch komplett nackt."
„Ja, aber das sieht doch keiner", sagte ich.
„Trotzdem", maulte Van Helsing. „Ich bin nicht gern komplett nackt, das ist mir unangenehm."
„Entweder oder", sagte ich. „Du willst doch sicher nicht als *Die wandelnde Unterhose* in die Geschichte eingehen."
„Nein", seufzte Van Helsing. „Also gut, wenn es denn sein muss."
Wir sahen, wie die Unterhose zu Boden fiel.
„Haha!", rief er. „Aber jetzt könnt ihr mich nicht mehr sehen!"

„Ja, jetzt bist du komplett unsichtbar", bestätigte ich ihm.
„Perfekt!", sagte Van Helsing. „Dann kann ich dich ja endlich töten! Und du wirst mich nicht kommen sehen! Ich brauche nur noch meinen … Wo ist denn … Verflixt, vorhin hatte ich ihn doch noch … Vielleicht in der Hosentasche …"
Wir sahen, wie sich Van Helsings Hose vom Boden erhob und eine Weile lang in der Luft schwebte.
„Ah, da ist er ja!", ertönte seine Stimme.
Die Hose fiel wieder hinunter, dafür schwebte nun ein angespitzter Holzpflock in der Luft.
„So!", sagte Van Helsing. „Sprich dein letztes Gebet, elendiger Vampir! Gleich ramme ich dir meinen Holzpflock ins Herz! Und du kannst dich nicht darauf vorbereiten! Weil du mich nicht sehen kannst!"
„Dich nicht", erwiderte ich. „Aber den Holzpflock sehe ich. Von daher weiß ich genau, wo du gerade bist. Du stehst links von mir, ungefähr drei Schritte entfernt."
„Was? Aber … Das ist doch … VERDAMMTER MIST ABER AUCH!", fluchte Van Helsing. „WAS NUTZT ES DENN, UNSICHTBAR ZU SEIN, WENN EINEN TROTZDEM JEDER SEHEN KANN?!"
Ich konnte mir ein Kichern nicht verkneifen.
„LACH NICHT SO BLÖD!", keifte Van Helsing mich an.
„DAS HILFT DIR JETZT AUCH NICHT MEHR! TÖ-

TEN WERDE ICH DICH NÄMLICH TROTZDEM! UND ZWAR JETZT GLEICH!"
Ich sah, wie der Holzpflock auf mich zuschwebte. Ich versuchte, mich zu befreien, aber Van Helsings Schergen hielten mich fest umklammert. Gerade als ich bereits mit dem Leben abgeschlossen hatte, sah ich, wie sich hinter meinem vermeintlichen Mörder eine ägyptische Vase vom Boden erhob. Sie schwebte schnell und zielgerichtet auf Van Helsing zu, drehte sich wie von Geisterhand auf den Kopf, vollführte einen Ruck nach unten und blieb mitten in der Luft stehen.
„Was ... Wieso ...", hörte ich Van Helsings verwirrte Stimme. „Hallo? Was ist denn jetzt passiert? Ich sehe nichts mehr! Wieso sehe ich denn nichts mehr?"
Während die Vase ziellos kreuz und quer durch den Raum schwebte, sackten neben mir erst der eine, dann der andere Helfer bewusstlos zusammen.
„Jack?", fragte ich ins Leere. „Bist du das?"
„Ja", bekam ich als Antwort. „Ich habe von unten Stimmen gehört. Keine Sorge, ich habe alles unter Kontrolle. Moment, es ist einfacher, wenn ihr mich sehen könnt."
Van Helsings Jacke hob sich vom Boden, Jack zog sie an.
„Hallo?", ertönte es dumpf aus der umherirrenden schwebenden Vase. „Kann mir vielleicht mal jemand helfen? Ich tappe im Dunkeln!"

„Du musst zehn Schritte zügig geradeaus laufen!", rief ich ihm zu. „Dann siehst du wieder was!"
„Alles klar!", antwortete die Vase.
Van Helsing lief los und krachte wie geplant nach fünf Schritten ungebremst gegen eine Wand. Die Vase zersplitterte, ein dumpfer Schlag ertönte, eine kleine Staubwolke stieg vom Boden auf.
„Sehr gut", erklang Jacks Stimme lachend. „Um den müssen wir uns erst mal keine Sorgen mehr machen. Wer ist das überhaupt? Er gehört definitiv zu keinem mir bekannten Geheimdienst."
„Ach, das ist nur mein Erzfeind Van Helsing", erklärte ich. „Er nennt sich selbst Vampirjäger, hat aber noch nie wirklich einen von uns erwischt."
Jack wandte sich an den Wissenschaftler.
„Bei Ihnen alles in Ordnung, Doktor Jekyll?", fragte er. „Ich hoffe, dieser Irre hat Sie gut behandelt?"
„Ja, mir geht es gut so weit", sagte der Wissenschaftler und runzelte die Stirn. „Bis auf ein leicht angekratztes Ego. Es war viel zu leicht, mich zu entführen, ich bin einfach zu gutgläubig und war wie gelähmt vor Angst. Daran wird sich aber etwas ändern, das passiert mir nicht noch mal. Sobald ich zu Hause bin, werde ich ein Serum entwickeln, das meine Persönlichkeit verändert. Ich muss mutiger werden. Und rücksichtsloser. Vielleicht sogar ein

kleines bisschen böse, dann geschieht so etwas garantiert nicht mehr."

„Machen Sie das", sagte Jack. „Für Ihren Rückflug steht schon alles bereit, eine unserer Geheimdienstmaschinen wartet am Flughafen auf Sie, ich bringe Sie gleich dorthin."

Jack wandte sich wieder an mich. „Soll ich diesen Van Wirsing auch gleich mitnehmen?", fragte er. „Ich kann dafür sorgen, dass er für immer in einer Zelle verschwindet, die offiziell gar nicht existiert."

Ich dachte nach. „Hm … Vielleicht wäre das tatsächlich die beste Lösung. Jetzt, wo er unsichtbar ist, könnte er eventuell doch einmal Glück haben und mich hinterrücks erwischen."

„Darüber müssen Sie sich keine Gedanken machen", sagte Doktor Jekyll. „Spätestens morgen ist er wieder für alle sichtbar. Ich habe das Serum vorsorglich so gemischt, dass die Wirkung nicht lange anhält."

„Ach so!" Ich winkte ab. „Dann ist es nicht so schlimm. Wir können ihn einfach da liegen lassen."

„Ganz so leicht würde ich es ihm nicht machen", sagte Jack. „Ich grinse übrigens gerade."

Er zog sämtliche Kleidungsstücke von Van Helsing an.

„Ein kleiner Denkzettel muss sein, finde ich", sagte er. „Lasst uns aufbrechen."

Wir hatten Glück und fanden bald ein Taxi, das uns zum Flughafen fuhr. Wir begleiteten den Doktor noch zu seinem Flieger und verabschiedeten uns von ihm.
„Und jetzt?“, fragte mich Jack, als wir das Flughafengebäude verließen. „Was sind deine Pläne? Hast du noch etwas zu erledigen hier in Kairo?“
„Eigentlich nicht“, sagte ich. „Ich brauche nur erst mal unbedingt einen Schlafplatz. Die Sonne geht in einer halben Stunde auf.“
„Kein Problem.“ Jack legte mir den Arm um die Schulter. „Du kannst mit in mein Hotel kommen. Und wenn du heute Abend ausgeschlafen hast, reden wir über deine Zukunft.“
„Meine Zukunft?“, wiederholte ich und sah ihn verwundert an.
„Schon mal darüber nachgedacht, Geheimagent zu werden?“, fragte Jack. „Jemanden wie dich könnten wir beim MI6 gut gebrauchen. Es hat Spaß gemacht, mit dir zusammenzuarbeiten. Ein Unsichtbarer und ein fliegender Vampir, wir wären ein unschlagbares Team. Wir könnten gemeinsam die Welt retten. Hm, was sagst du? Wäre das was für dich?“
Was ich darauf geantwortet habe, darf ich leider nicht verraten.

„Doch!", sagt Globinchen. „Verrat es uns, Opa! Ich will es wissen!"

„Das ist doch ganz klar", sagt Vira grinsend.

Ich zwinkere ihr zu.

„Wie, was ist klar?", fragt Rhesus. „Gar nichts ist klar. Ist Opa jetzt ein Geheimagent, oder nicht?"

„Na, wenn er keiner wäre, hätte er uns seine Antwort ja verraten können", erklärt Vira. „Als Geheimagent darf er allerdings nie etwas verraten. Kapiert?"

„Echt jetzt?“, fragt Rhesus erstaunt. „Du bist ein Geheimagent, Opa?“

„War“, sage ich. „Ich *war* ein Geheimagent. Einer der besten, den das MI6 jemals hatte. Aber das ist lange her, ich bin vor knapp zwanzig Jahren in Rente gegangen, zusammen mit Jack. Seine Unsichtbarkeit schützte ihn leider nicht vor dem Altern. Aber die große Zeit der Geheimagenten war sowieso abgelaufen. Als der Kalte Krieg mit Russland beendet war, gab es kaum noch Arbeit für Spione wie uns. Vorher jedoch hatten wir eine tolle und sehr spannende Zeit. Wir hatten Aufträge auf allen Kontinenten und konnten zusammen mindestens viermal die Welt retten. Dafür bin ich Jack immer noch sehr dankbar. Er war der beste Partner, den man sich wünschen konnte. Ich werde ihn nie vergessen.“

„Lebt Jack denn noch?“, will Vira wissen.

„Das weiß ich leider nicht“, antworte ich. „Wir haben uns nach unserem letzten gemeinsamen Auftrag komplett aus den Augen verloren.“

„Krass!“, sagt Rhesus. „Opa war Geheimagent! Das muss super gewesen sein. Habt ihr auch Werwölfe erledigt?“

„Nein“, antworte ich. „Warum sollten Geheimagenten Werwölfe erledigen?“

„Na, weil sie böse sind“, sagt Rhesus.

„Woher weißt du das?“, frage ich ihn.

„Das weiß doch jeder“, sagt Rhesus. „Das lernt man schon in der ersten Klasse in der Schule.“

„Ich hab das auch schon gelernt“, sagt Globinchen. „Im Kindergarten. Wenn ein Werwolf kommt, sollen wir ganz schnell weglaufen und um Hilfe rufen.“

„Ich würde ihn einfach abknallen", sagt Rhesus.

„Ach ja? Womit denn?", erwidert Vira. „Mit deiner großen Klappe?"

„Jetzt mal ganz im Ernst", sage ich zu Rhesus. „Hast du denn schon mal einen Werwolf getroffen?"

„Ja, eben gerade. Genau zwischen die Augen", sagt Rhesus und lacht.

„Das ist nicht witzig", sage ich. „Das hätte mein allerbester Freund Archibald sein können."

Rhesus blickt von seinem Handy auf und starrt mich ungläubig an.

„Dein allerbester Freund ist ein Werwolf?", fragt er. „Glaub ich nicht, du veräppelst uns doch. Kein Vampir ist mit einem Werwolf befreundet, das geht überhaupt nicht."

„Und ob das geht", sage ich und greife nach dem Fotoalbum. „Ich werde es dir zeigen."

Ich blättere durch die Seiten. Irgendwo muss doch ein Foto von Archibald sein. Weiter hinten wahrscheinlich. Ah, da ist es ja.

„Hier, seht selbst", sage ich und zeige den Kindern das Foto. „Das sind Archibald und ich."

„Der sieht gar nicht so böse aus", stellt Globinchen fest.

„Ist er auch nicht", sage ich. „Im Gegenteil. Ich habe nie ein liebenswürdigeres Wesen getroffen."

„Da ist er ja noch mal!", sagt Globinchen und zeigt auf ein anderes Foto. „Da ist er ganz schick in einem Anzug!"

„Ja", sage ich und muss lächeln. „Das war in Hamburg, als wir uns kennengelernt haben. Er war immer gut gekleidet. Und mit diesem Anzug hat er sogar indirekt einen weltweiten Trend ausgelöst."

„Was ist ein Trend?“, will Globinchen wissen.

„Das ist, wenn alle nachmachen, was du anziehst“, erklärt Vira.

„Das kenn ich aus dem Kindergarten“, sagt Globinchen. „Da hatte ich mein neues grünes Kleid an und am nächsten Tag hatte Viola genau das gleiche, die blöde Nachmacherin. Trend ist also was Doofes.“

„Ich würde niemals etwas nachmachen, was ein Werwolf gemacht hat“, brummt Rhesus.

„Das musst du ja auch nicht“, sage ich. „Aber genauso wenig musst du denken, dass Werwölfe automatisch böse sind. Archibald war es jedenfalls nie. Und er wäre beinahe sogar weltberühmt geworden, und zwar im positiven Sinn, nicht als Bösewicht.“

„Oh, das klingt aufregend!“, sagt Globinchen. „Erzähl uns die ganze Geschichte, Opa!“

„Sehr gern.“ Ich lehne mich zurück. „Das ist nämlich eine meiner Lieblingsgeschichten. Dann hört ihr jetzt …“

Hamburg, 1962

Die Geschichte des beinahe weltberühmten Werwolfs Archibald Ferguson

Es war im Mai 1962, Jack und ich hatten gerade einen Auftrag in Hamburg erledigt. Ich beschloss spontan, noch ein paar Tage dort zu bleiben, weil mir die Stadt gefiel, während Jack nach Hawaii flog, um dort seinen wohlverdienten Jahresurlaub zu verbringen.

Die 1960er waren eine sehr aufregende Zeit, vor allem, wenn es um Musik ging. Ich hatte den Rock 'n' Roll für mich entdeckt und war ganz verrückt danach. So verrückt, dass ich mir sogar eine Gitarre gekauft hatte und jeden Tag fleißig übte. Mein Traum war es, einmal in einer berühmten Band zu spielen, aber bis ich dafür gut genug war, begnügte ich mich damit, mir andere Bands anzusehen. Der Lebensrhythmus eines Vampirs war wie gemacht für diese Zeit, denn die Bands traten vorwiegend nachts auf, man verpasste also absolut nichts, wenn man wie ich den ganzen Tag lang schlief. Und so stürzte ich mich Abend für Abend ins Hamburger Nachtleben, wo an jeder Ecke Rock-'n'-Roll-Bands in kleinen Kellerclubs auftraten. Schon bald hatte ich einen Favoriten, den Star Club in St. Pauli, wo ich fortan jede Nacht verbrachte. Dort traten immer sieben verschiedene Bands auf, unter ihnen sogar einige aus England. Eine dieser englischen Bands nannte sich *The Beatles* und wurde schnell nicht nur zu meiner absoluten Lieblingsband. Wir tanzten alle

bis zur Erschöpfung, wenn die Beatles spielten. Und diese vier Jungs aus Liverpool waren zudem noch äußerst sympathisch, sie saßen vor und nach ihren Auftritten mit uns im Publikum und sahen sich die anderen Bands an.
Es dauerte nicht lange und ich freundete mich mit John, Paul, George und Pete an. Sie waren alle um die zwanzig und ein sehr wilder Haufen. Nicht selten zog ich noch bis zum frühen Morgen mit ihnen durch die Straßen. Mit Paul und George verstand ich mich am besten, wir sprachen ständig über Musik und George brachte mir sogar ein paar neue Griffe auf der Gitarre bei. Pete und John waren etwas wilder, besonders John, er geriet gern mal in Schwierigkeiten, aus denen wir ihn dann retten mussten. Eines Nachts legten er und Pete sich mit ein paar Matrosen auf der Reeperbahn an, es entstand eine wüste Prügelei, bei der die Matrosen die Oberhand behielten. Paul, George und ich schafften es irgendwie, die beiden zu befreien und gemeinsam die Flucht anzutreten. Die Matrosen verfolgten uns durch halb St. Pauli, aber schließlich konnten wir sie in der Nähe des Star Clubs doch noch abschütteln. Die vier Engländer wohnten in einem Hinterzimmer des Clubs, alle zusammen in einem winzigen Raum, was zwar nicht sehr komfortabel, aber wenigstens sehr praktisch war, so hatten sie jederzeit Zugang zum Club. Wir schlüpften durch den Hintereingang hinein,

vorn war schon geschlossen, die Stühle standen bereits auf den Tischen, und der Einzige, der sich noch dort aufhielt, war ein junger Mann, der den Boden fegte. Die Jungs holten sich hinter der Theke noch etwas zu trinken, und wir wollten es uns gerade am Rand der Bühne gemütlich machen, als Pete beim Öffnen einer Flasche plötzlich vor Schmerz aufstöhnte.

„Alles okay, Pete?", fragte Paul besorgt.

„Nein", antwortete Pete. „Meine Hand hat etwas abgekriegt, tut höllisch weh, wenn ich sie bewege."

„Dann beweg sie eben nicht", sagte John und lachte am lautesten über seinen eigenen Witz.

„Das ist nicht witzig", sagte Pete mit ernster Miene. „Bestimmt ist sie verstaucht."

Pete stand auf und setzte sich hinters Schlagzeug. Er nahm die Stöcke in die Hand und versuchte zu spielen, verzog aber bereits nach zwei Schlägen schmerzvoll das Gesicht und hörte sofort wieder auf.

„Das könnt ihr vergessen", sagte er. „So kann ich morgen auf keinen Fall spielen."

„Verdammt", sagte George. „Das ist eine Katastrophe. Was machen wir denn jetzt? Wenn wir nicht spielen, fliegen wir hier raus, das steht in unserem Vertrag."

„Wir haben einen Vertrag?", fragte John erstaunt.

„So was Ähnliches zumindest", sagte Paul. „Ich habe ir-

gendwann einmal etwas auf einer Serviette unterschrieben."

„Was machen wir denn jetzt?", fragte George besorgt. „Bis morgen kriegen wir doch keinen neuen Schlagzeuger, der alle unsere Lieder kennt und mitspielen kann. Oder fällt euch zufällig jemand ein?"

Die Köpfe der vier Jungs drehten sich zu mir, sie sahen mich erwartungsvoll an.

Ich konnte mein Glück kaum fassen. Und mein Unglück schon gar nicht. Die Beatles, meine absolute Lieblingsband, zogen in Erwägung, dass ich mit ihnen zusammen auftreten durfte – und ich Trottel hatte mich für das falsche Instrument entschieden.

„Ihr wisst gar nicht, wie leid mir das tut", sagte ich seufzend. „Aber ich kann nur ein ganz kleines bisschen Gitarre spielen. Selbst wenn John sich die Hand verstaucht hätte, wäre ich viel zu schlecht, um bei euch mitzumachen."

„Schade", sagte George. „Hätte ja sein können. Und jetzt? Wenn wir bis morgen Abend keinen Schlagzeuger finden, sind wir aufgeschmissen."

„Ich könnte einspringen", erklang eine Stimme hinter dem Tresen.

Wir drehten uns um. Es war der Junge mit dem Besen, der das gesagt hatte. Keiner von uns hatte ihn je zuvor beachtet. Er war immer da und kümmerte sich um alles Mögliche, mal saß er vorn an der Kasse, mal schenkte er Getränke aus oder er fegte eben den Boden. Er gehörte sozusagen zum Inventar des Star Clubs, aber wir kannten nicht einmal seinen Namen. Er sah sehr unscheinbar aus, war eher klein als groß, hatte eine leicht zottelige Frisur und ein unauffälliges Gesicht.

„Das sollte kein Problem sein", fuhr er fort. „Ich spiele Schlagzeug und kenne alle eure Songs in- und auswendig."

„Wirklich?", fragte John skeptisch. „Du siehst nicht aus wie ein Schlagzeuger."

„Lasst euch nicht von meinem Aussehen täuschen." Der Junge grinste. „Wenn ich morgen Abend hinter dem Schlagzeug sitze, werdet ihr mich nicht wiedererkennen. Ich werde euch nicht enttäuschen, das kann ich euch versprechen. Das wird eine Riesen-Show, garantiert."

„Deine Klappe ist jedenfalls groß genug für einen Schlagzeuger", sagte John lachend. „Was meint ihr?"

Er sah die anderen fragend an.

„Wir haben wohl keine Wahl", sagte George.

„Ja", stimmte Paul ihm zu. „Es bleibt uns nichts anderes übrig. Lasst es uns versuchen."

„Okay, du bist engagiert", sagte John zu dem Jungen. „Wie heißt du überhaupt?"

„Archibald“, antwortete der Junge. „Archibald Ferguson. Aber ihr könnt mich gern Archie nennen.“
„Hm“, sagte John nachdenklich. „John, Paul, George und Archie? Das klingt gar nicht schlecht.“
„Hey, immer langsam!“, beschwerte sich Pete. „Ich bin nicht tot, ich hab mir nur die Hand verstaucht. Außerdem wisst ihr doch noch gar nicht, ob er wirklich Schlagzeug spielen kann.“
„Das stimmt“, sagte Paul und zeigte auf das Schlagzeug. „Wie wäre es mit einer kleinen Kostprobe, Archie?“
„Äh … Das … das geht jetzt leider nicht“, druckste Archie herum. „Ich bin noch nicht … Das kann ich euch erst morgen zeigen. Ich muss mich erst … vorbereiten. Aber macht euch keine Sorgen, das klappt auf jeden Fall, ihr werdet es ganz sicher nicht bereuen. Außerdem muss ich jetzt noch fertig aufräumen. Wir sehen uns dann morgen Abend.“
Ohne ein weiteres Wort verschwand er durch die Tür hinter der Theke.
„Seltsamer Typ“, sagte Pete.
Allerdings, das fand ich auch. Irgendetwas stimmte nicht mit Archie und es hatte nichts mit Musik zu tun, das spürte ich, aber ich wollte die Jungs nicht beunruhigen, also sagte ich nichts.

„Ich weiß, was mit dem nicht stimmt!“, platzt Globinchen heraus. „Das ist nämlich ein Werwolf!“

„Das wissen wir doch längst, du Dussel“, stöhnt Rhesus. „Das hat Opa ganz am Anfang schon verraten.“

„Ach so“, sagt Globinchen. „Das hab ich schon wieder vergessen.“

„Du sollst auch nicht spoilern“, ermahnt sie Vira. „Das ist gemein, wenn man etwas Spannendes aus einer Geschichte vorher verrät.“

„Hab ich doch gar nicht!“, wehrt sich Globinchen. „Das war Opa! Hörst du, Opa? Vira sagt, du bist gemein!“

„Das hab ich gar nicht gesagt“, erwidert Vira. „Ich habe nur gesagt, dass es gemein ist, wenn man etwas verrät. Aber Opa darf das natürlich, weil er ja die Geschichte erzählt.“

„Sind die Beagles auch Werwölfe?“, will Globinchen wissen.

„Beagles sind Hunde“, erklärt Vira. „Opa spricht von den Beatles. Und das sind keine Werwölfe, sondern ganz berühmte Musiker.“

Rhesus runzelt die Stirn. „So berühmt können die nicht sein. Ich hab noch nie was von denen gehört.“

„Du hörst ja auch immer nur V-Pop“, stöhnt Vira und verdreht die Augen.

„Wie Pop?“, frage ich erstaunt nach.

„Das ist Englisch“, erklärt Vira. „Es steht für Vampire-Pop. Kommt aus Asien. Hört sich alles gleich langweilig an.“

„Gar nicht“, erwidert Rhesus. „Da gibt es voll die Unterschiede. Und es ist auf jeden Fall um Längen besser als der alte Kram, den Opa immer hört.“

„Also, ich mag Opas alten Kram“, sagt Globinchen. „Da kann man so schön zu tanzen.“

Ich lächle. „Dann magst du auch die Beatles. Und sie waren definitiv keine Werwölfe. Auch wenn John sich manchmal benommen hat wie einer.“

„Erzähl weiter, Opa“, fordert Vira. „Ich möchte wissen, ob dieser Archie wirklich Schlagzeug spielen konnte.“

„Oder ob er diese Beatles einfach gefressen hat“, fügt Rhesus hinzu. „Werwölfen ist alles zuzutrauen, das sind ganz fiese Biester.“

„Sind sie nicht“, erwidere ich. „Wobei wir uns am Anfang auch nicht sicher waren, ob man ihm trauen konnte.“

Am folgenden Abend ging ich natürlich wieder in den Star Club, und ich war sehr gespannt darauf, ob das Zusammenspiel mit diesem Archie klappen würde.
Ich ging extra etwas früher hin, obwohl mich die Band, die vor den Beatles spielte, nicht interessierte. Es war auch noch nicht voll, als ich dort eintraf, die vier Jungs saßen an einem Tisch und sahen alles andere als gut gelaunt aus. Petes Hand war bandagiert, er würde an diesem Abend offensichtlich nicht Schlagzeug spielen können.
„Hi!", begrüßte ich sie. „Ihr seht nicht gerade glücklich aus. Was ist los?"
„Dieser Archie ist noch nicht aufgetaucht", brummte Paul.
„Und wir sind in zehn Minuten dran", seufzte George.
„Scheint so, als hätten wir keinen Schlagzeuger heute Abend", sagte John.
„Vielleicht kommt er ja noch", versuchte ich, sie aufzumuntern, wobei ich selbst keine große Hoffnung hatte.
„Hilft ja nichts." Paul stand auf. „Ich weiß zwar nicht, wie, aber dann müssen wir eben ohne Schlagzeug spielen."
Die drei verschwanden hinter der Bühne, um sich vorzubereiten, Pete blieb mit mir am Tisch sitzen.
Die andere Band spielte ihre letzte Zugabe, dann betraten die drei Beatles die Bühne – von Archie immer noch keine Spur. John, Paul und George stöpselten ihre Gitarren in die Verstärker und John trat nach vorn ans Mikrofon.

„Hi!“, begrüßte er das Publikum. „Wir sind die Beatles aus Liverpool. Unser Schlagzeuger hat sich gestern an der Hand verletzt, deshalb müssen wir heute …“
In diesem Augenblick betrat jemand von hinten die Bühne und setzte sich ans Schlagzeug. Meine Nackenhaare stellten sich allesamt auf. Ein Raunen ging durchs Publikum. John, Paul und George drehten sich um. Was sie, was wir alle sahen, war so überraschend, dass außer einer kleinen Rückkopplung aus Pauls Verstärker kein Ton zu hören war. Alle schienen erstarrt den Atem anzuhalten. Hinter dem Schlagzeug saß ein Wolf in einem Anzug und er sah verdammt cool darin aus. Dass dieser Wolf Archie und er somit ein Werwolf war, ahnte wahrscheinlich nur ich. Zum einen, weil bei mir sofort ein natürlicher Fluchtreflex einsetzte, und zum anderen, weil ich auf dem Hinweg den kugelrunden Vollmond am Himmel hatte strahlen sehen. Auch ich hatte wie alle Vampire von klein auf eingebläut bekommen, dass Werwölfe bösartig und unsere Erzfeinde wären, von daher ging mein erster Blick in diesem Moment zum Ausgang.
*Da ist ein Werwolf,* ratterte es in meinem Kopf. *Du musst hier so schnell wie möglich raus.* Aber irgendetwas ließ mich wie angewurzelt stehen bleiben. Archie grinste über sein ganzes pelziges Gesicht, er strahlte pures Glück aus, ich fürchtete mich kein bisschen vor ihm. Dann zählte er an.

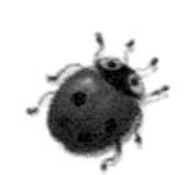

THE
BEATLES

„One, two, three, four!"
Und damit begann das beste Beatles-Konzert aller Zeiten. Archie war einfach sensationell am Schlagzeug, das merkten die anderen Jungs sofort. Man spürte zu keinem Zeitpunkt, dass die vier noch nie zusammen gespielt hatten, jedes einzelne Lied war perfekt, und das Publikum johlte und schrie vor Begeisterung.
Die einzige Person im Saal, die nicht glücklich aussah, war Pete, der völlig zu Recht Angst um seinen Job als Schlagzeuger der Beatles hatte.
Nach der siebten Zugabe beendeten die Jungs vollkommen erschöpft ihren Auftritt. Wäre es nach ihren Fans gegangen, hätten sie noch die ganze Nacht weiterspielen können, aber Archie hatte beim letzten Lied vor lauter Spielfreude die Hälfte des Schlagzeugs zertrümmert, der Konzertabend war somit leider beendet.
Pete und ich folgten den Jungs hinter die Bühne, wo bereits alle drei dabei waren, Archie zu loben und zu beglückwünschen.
„Das war fantastisch, Archie!", sagte John. „Ich weiß nicht, wann ich das letzte Mal so viel Spaß bei einem Auftritt hatte."
„Ja, einfach großartig!" George klopfte Archie auf die Schulter.
„Und dein Anzug!", schwärmte Paul. „Das sieht so cool

aus! Wir sollten uns überlegen, ob wir in Zukunft nicht alle in solchen Anzügen auftreten."
„Oh, ich freue mich schon richtig auf morgen!", rief John übermütig. „Du bist doch hoffentlich wieder mit dabei, Archie?"
„Ich ... Na ja ... Wisst ihr ...", druckste Archie herum. „Das ist ... Ich kann leider immer nur einmal im Monat so gut Schlagzeug spielen. Von daher müsst ihr euch für morgen leider jemand anderen suchen."
Pete neben mir atmete deutlich hörbar auf.
„Was?" George war entsetzt. „Aber wieso denn?"
„Weil er ein Werwolf ist", antwortete ich für Archie, dem die Situation sichtbar unangenehm war.
„Na und?", erwiderte Paul. „Das ist uns doch völlig egal. Und dem Publikum auch. Er ist ein fantastischer Schlagzeuger, das ist alles, was zählt."
„Schon klar", sagte ich. „Ich fürchte aber, er ist nur so ein fantastischer Schlagzeuger, solange Vollmond ist. Oder, Archie?"
Archie nickte langsam, ließ den Kopf dann ganz tief hängen und schlurfte zur Tür.
„Vielen Dank, dass ich bei euch mitspielen durfte", sagte er leise und traurig. „Das war der beste Abend meines Lebens. Ich werde ihn nie vergessen. Ich gehe jetzt den Boden fegen."

„Tschüs, Archie“, sagte Pete grinsend, während die anderen Beatles Archie niedergeschlagen hinterherblickten.
Er tat mir unendlich leid, als ich ihn so traurig davonschlurfen sah. Das größte Lebensglück gefunden zu haben und es nicht festhalten zu können, das musste schrecklich für ihn gewesen sein. Und alles nur, weil er ein Werwolf und abhängig vom Stand des Mondes war, es war so ungerecht. Ein herzzerreißendes Wolfsheulen drang durch die Tür in unsere Ohren, George wischte sich eine Träne aus den Augen.
Ich verspürte das dringende Bedürfnis, Archie irgendwie zu trösten, also ging ich raus zu ihm. Er fegte bereits den Boden. Ich ging auf ihn zu und breitete meine Arme aus, um ihn zu umarmen.
„Ja, mach ruhig, beiß mich“, schluchzte er. „Das macht mir jetzt auch nichts mehr aus. Wenn ich kein Schlagzeuger sein kann, hat mein Leben sowieso keinen Sinn.“
Ich ließ verwundert die Arme sinken. „Beißen? Wieso sollte ich dich beißen?“
„Na, du bist doch ein Vampir, oder? Das habe ich gleich gerochen, als ich dich zum ersten Mal gesehen habe. Und Vampire hassen Werwölfe. Ich habe schon die ganze Zeit darauf gewartet, dass du mich angreifst. Ich bin dir sehr dankbar, dass du bis nach dem Konzert gewartet hast, das war sehr nett von dir, so hat sich mein Traum wenigstens

einmal erfüllt. Aber jetzt ist es auch egal, also beiß mich ruhig, ich werde mich nicht wehren."

„Ich könnte dich niemals beißen", sagte ich. „Wieso sollte ich auch? Nur weil andere sagen, wir wären die ärgsten Feinde? Ich werde niemanden beißen, nur weil es irgendeine Tradition verlangt. Und dich schon gar nicht. Ich finde dich nämlich äußerst sympathisch und liebenswürdig. Außerdem würde es mir im Traum nicht einfallen, den großartigsten Schlagzeuger der Welt zu töten. Das bist du nämlich."

„Aber nur einmal im Monat", seufzte Archie und fing wieder an zu schluchzen. „Wieso kann ich nicht immer ein Werwolf sein?"

Ich umarmte ihn fest und strich tröstend über seinen Rücken. Ja, es war in der Tat eine Tragödie, dass er nicht immer ein Werwolf sein konnte. Ich wollte ihm irgendwie helfen. Und dann kam mir plötzlich eine Idee.

„Du möchtest wirklich für immer ein Werwolf sein?", fragte ich vorsichtshalber noch einmal nach.

„Ja", sagte Archie. „Nicht nur wegen des Schlagzeugspielens. Ich fühle mich einfach wohler, wenn ich ein Werwolf bin. So, als wäre es meine Bestimmung, ein Werwolf zu sein, nicht nur einmal im Monat, sondern immer."

„Ich weiß nicht, ob es klappt", sagte ich. „Aber wir könnten etwas versuchen."

„Alles“, sagte Archie aufgeregt. „Ich würde alles tun, um ein Werwolf bleiben zu können. Was muss ich machen? Sag es mir einfach, ich mache es sofort.“

„Es geht um mein Blut“, erklärte ich. „Vampirblut hat besondere Fähigkeiten. Meins hat vor fünfhundert Jahren einen einfachen Fisch in ein denkendes und sprechendes Wesen verwandelt. Ich habe allerdings keine Ahnung, was es bei dir bewirken würde. Vielleicht wachsen dir Hörner. Oder du schrumpfst. Oder du wirst zu einem Fisch. Ich kann für nichts garantieren, das Risiko ist sehr hoch.“

„Ich mache es!“, sagte Archie sofort. „Wenn es nur die geringste Chance gibt, dass ich immer ein Werwolf sein kann, dann muss ich es einfach probieren. Wie funktioniert das? Soll ich dich beißen? Jetzt gleich?“

„Nein, lieber nicht“, sagte ich. „Das gibt nur eine Riesensauerei und du musst hinterher alles wegputzen. Und außerdem wissen wir ja gar nicht, was genau passiert. Lass uns zu mir gehen. Nimm am besten eins dieser kleinen Schnapsgläser mit.“

Wir verließen den Star Club und liefen zu der kleinen Pension, in der ich mir ein Zimmer im Keller gemietet hatte. Unterwegs sah ich, wie Archie immer wieder verkrampft zusammenzuckte und besorgt das Gesicht verzog.

„Was ist los?“, fragte ich ihn. „Geht’s dir nicht gut?“

Er gab ein leises Grollen von sich. „Der Vollmond lässt nach. Ich spüre es deutlich. Nicht mehr lange und ich verwandle mich zurück."
„Das ist nicht gut", stellte ich fest. „Du solltest mein Blut trinken, während du ein Werwolf bist, sonst hat es vielleicht den umgekehrten Effekt und du bleibst für immer ein Mensch. Wir müssen uns beeilen."
Wir beschleunigten unsere Schritte. Bei mir angekommen, biss ich mir sofort vorsichtig in den kleinen Finger und ließ mein Blut in das Glas tropfen. Archies Krämpfe wurden schlimmer und kamen häufiger, ich reichte ihm das Glas.
„Los, trink das schnell", sagte ich. „Und dann heißt es, Daumen drücken."
Archie kippte mein Blut hinunter. Wir hielten beide den Atem an und warteten darauf, dass etwas passierte. Aber nichts geschah.
„Vielleicht ist das ein gutes Zeichen?", mutmaßte ich. „Wenn alles so bleibt, wie es jetzt ist, haben wir ja unser Ziel erreicht."
Keine Sekunde später fing Archie plötzlich an, wie wild zu zucken. Es wurde immer schlimmer, er kauerte sich auf dem Boden zusammen, stöhnte und gab gurgelnde Geräusche von sich, bis er schließlich … wieder ein Mensch war.
„Es hat nicht geklappt", seufzte Archie tieftraurig.

„Nein, leider nicht", sagte ich. „Tut mir leid. Vampirblutkräfte sind anscheinend unberechenbar. Und in deinem Fall haben sie leider gar nichts bewirkt."

„Ja", seufzte Archie. „Ich werde wohl für immer nur einmal im Monat das sein, was ich gern sein möchte. Aber vielen Dank, dass du es versucht hast."

Eine Träne kullerte über seine Wange und ich drückte ihn tröstend an mich.

„Ich bin müde", sagte er leise. „Kann ich mich hier ein bisschen hinlegen?"

„Natürlich", sagte ich. „Du kannst so lange hierbleiben, wie du möchtest. Ich lege mich auch gleich schlafen, die Sonne geht jeden Moment auf."

„Das ist aber eine traurige Geschichte, Opa", sagt Globinchen.

„Finde ich nicht", erwidert Rhesus. „Schlimm genug, dass man sich bei Vollmond vor Werwölfen in Acht nehmen muss. Wäre ja noch schöner, wenn die einen jeden Tag angreifen könnten."

„Als ob dich schon mal ein Werwolf angegriffen hätte", sagt Vira schnippisch. „Und du hast doch gerade gehört, dass es auch total liebe Werwölfe gibt. Hast du daraus nichts gelernt?"

„Es sind Ferien", erwidert Rhesus trotzig. „Ich bin nicht hier, um etwas zu lernen."

„Ich aber!" Globinchen springt auf. „Mama hat gesagt, dass ich jeden Tag etwas Neues lerne! Und eben hab ich gelernt, dass ich Archie sehr,

sehr gern mag! Darum tut er mir ja auch so leid. Soll ich ihm was von meinem Blut geben? Vielleicht ist das ja besser für Werwölfe."

„Das ist lieb von dir, Globinchen, aber nicht nötig", sage ich und zwinkere ihr zu. „Die Geschichte ist ja noch nicht zu Ende."

„Ach, nicht?", sagt Globinchen erfreut. „Dann ist's ja gut. Erzähl weiter, Opa. Aber nicht mehr so traurig, okay? Traurig find ich nämlich doof."

„Ich werde mir Mühe geben", sage ich schmunzelnd.

Als der nächste Abend anbrach, wurde ich von äußerst eigenartigen Geräuschen direkt neben mir geweckt, die ich zuerst überhaupt nicht einordnen konnte. Dann erinnerte ich mich: Ich war ja nicht allein.

Ich blickte neben mich auf den Boden, wo Archie lag. Sein Körper zuckte wieder wie wild und er grunzte und gurgelte und stöhnte im Schlaf. Ich rüttelte an seiner Schulter, um ihn aufzuwecken, aber er reagierte nicht. Er schien sich sehr zu quälen, und ich eilte ins Bad, um ein Glas Wasser zu holen – vielleicht würde er ja wach werden, wenn ich es ihm ins Gesicht kippte? Als ich zurückkam, sah ich aber, dass dies gar nicht mehr nötig war – auf dem Boden lag plötzlich ein Werwolf. Archie hatte sich wieder verwandelt und er öffnete gerade blinzelnd die Augen.

„Archie!", rief ich erstaunt. „Es hat doch geklappt!"

„Wie? ... Was? ...", stammelte er verschlafen und richtete mühsam seinen Oberkörper auf.

Als er seine pelzigen Hände betrachtete und realisierte, was passiert war, bekam ich das breiteste Werwolf-Grinsen aller Zeiten zu sehen.
„Es hat geklappt!", sagte er. „Es hat tatsächlich geklappt!"
Er sprang auf, fiel mir um den Hals und wir führten zusammen kreuz und quer durch den Raum hüpfend einen Freudentanz auf.
„Danke, Vlad. Du hast mir damit das größte Geschenk meines Lebens gemacht. Das werde ich dir nie vergessen."
„Sehr gern, Archie", sagte ich. „Wobei ich mir noch nicht sicher bin, ob es wirklich so funktioniert, wie du es dir gewünscht hast."
„Was meinst du?", wollte Archie wissen. „Heute ist kein Vollmond und ich bin trotzdem ein Werwolf. Genau das wollte ich."
„Du hast dich aber trotzdem vorher noch in deine menschliche Gestalt verwandelt", erklärte ich. „Und ich glaube, ich ahne, woran das liegt. Als du dich eben verwandelt hast, ist die Sonne gerade untergegangen. Es könnte sein, dass du dich aufgrund des Vampirbluts nur nachts in einen Werwolf verwandelst und tagsüber ein Mensch bist."
Archie winkte ab. „Ach, damit könnte ich gut leben. Ich bin sowieso lieber nachts unterwegs. Und Konzerte finden ja auch meistens abends statt."
„Oh, apropos!", sagte ich. „Lass uns schnell in den Club

gehen und den Beatles Bescheid sagen! Du kannst heute Abend wieder mit ihnen spielen!"
Wir machten uns sofort auf den Weg. Als wir ankamen, spielte die erste Band des Abends bereits. Die Jungs waren hinter der Bühne. Wir teilten ihnen die frohe Nachricht mit und sie freuten sich unbändig darüber – bis auf Pete.
„Aber meine Hand tut kaum noch weh!", sagte er. „Ich kann heute Abend wieder spielen!"
„Sorry, Pete", sagte John. „Aber Archie ist einfach viel, viel besser als du. Und cooler ist er auch. Wir spielen heute Abend mit ihm. Wie es dann in Zukunft weitergeht, können wir später besprechen."
Pete stürmte ohne ein weiteres Wort wutentbrannt aus dem Raum.
„Oh", sagte Archie, „ich will Pete aber nicht den Platz in der Band wegnehmen. Wenn er wieder spielen kann, verzichte ich gern, das ist gar kein Problem."
„Mach dir um ihn keine Gedanken", sagte Paul. „Der beruhigt sich schon wieder. Sag uns lieber, wo du diesen Anzug herhast. Der ist das perfekte Bühnenoutfit. Und irgendwas sollten wir vielleicht mal mit unseren Frisuren machen, die könnten auch einheitlicher sein."
Zwei Stunden später war es so weit, der zweite Auftritt von Archie mit den Beatles stand kurz bevor. Ich hatte mich unters Publikum gemischt und freute mich schon

sehr darauf. Diesmal betraten die vier Jungs gemeinsam die Bühne. Sie wurden begeistert mit Applaus und Gejohle empfangen. John, Paul und George stöpselten ihre Gitarren in die Verstärker, Archie nahm auf dem Schlagzeughocker Platz. Er hob seine Sticks und wollte gerade anzählen, als plötzlich zwei Männer in Uniform die Bühne betraten – es waren Polizisten.

Die Menge verstummte augenblicklich, es wurde so leise, dass man jedes Wort auf der Bühne verstand.

„Sind Sie Archibald Ferguson?", fragte einer der Polizisten.

Archie nickte.

„Dürfte ich bitte mal Ihre Arbeitserlaubnis sehen?", forderte der Polizist.

„Arbeitserlaubnis?", fragte Archie verwundert. „Wofür brauche ich denn eine Arbeitserlaubnis? Ich spiele hier doch nur Schlagzeug."

„Und genau dafür brauchen Sie als Ausländer eine Arbeitserlaubnis", erwiderte der Polizist. „Also, haben Sie eine, oder nicht?"

„Äh … nein", antwortete Archie.

„Dann verlassen Sie bitte sofort diese Bühne", sagte der Polizist.

Das Publikum begann zu pfeifen und forderte Archie auf, sitzen zu bleiben. Archie blickte ratlos die Beatles an, die ebenso ratlos mit den Schultern zuckten.

„Wenn Sie meiner Aufforderung nicht folgen, kann ich Sie auch verhaften", drohte der Polizist.

Archie stand auf und verließ die Bühne.

„Und was ist jetzt mit unserem Konzert?", fragte John den Polizisten.

Der zuckte mit den Schultern. „Nicht mein Problem. Solange hier kein Trommler mit einer gültigen Arbeitserlaubnis auftaucht, gibt es eben kein Konzert."

Die Menge buhte und pfiff weiter.

„Ich!", ertönte plötzlich eine Stimme vom Rand der Bühne. „Ich habe eine Arbeitserlaubnis!"

Pete betrat die Bühne, ein Blatt Papier vor sich her wedelnd. Er streckte es dem Polizisten entgegen, der einen mehr als flüchtigen Blick darauf warf.

„Alles in Ordnung", sagte er. „Sie dürfen spielen."

Pete grinste übers ganze Gesicht, setzte sich hinter das Schlagzeug und hob seine Drumsticks in die Luft.

„One, two, three, four!", rief er.

Die anderen Beatles sahen sich kurz zögernd an, fingen dann aber an zu spielen.

Archie kam zu mir nach hinten. Er lächelte, obwohl es nach diesem Vorfall überhaupt keinen Grund dafür gab.

„Du hast erstaunlich gute Laune für jemanden, der gerade reingelegt wurde", stellte ich fest. „Dir ist hoffentlich klar, wer dir die Polizei auf den Hals gehetzt hat?"

„Natürlich“, sagte Archie. „Das war Pete.“
„Soll ich ihn nach dem Konzert beißen oder willst du ihn fressen?“, fragte ich. „Oder beides?“
Archie lachte. „Nein. Das ist nun wirklich nicht nötig.“
„Bist du überhaupt nicht sauer?“, wunderte ich mich. „Also, ich bin jedenfalls stinksauer.“
„Na ja, ich kann ihn ja irgendwie verstehen“, sagte Archie. „Ich bin in seine Band eingedrungen. Das würde mir auch nicht gefallen.“
„Stimmt schon“, gab ich zu. „Aber die Art und Weise, wie er dir in den Rücken gefallen ist, ist wirklich erbärmlich.“
„Ach, weißt du“, Archie schmunzelte, „ich bin der festen Überzeugung, dass sich das irgendwann ausgleichen wird. Jeder kriegt früher oder später das, was er verdient. Und in Petes Fall dürfte das nichts Gutes sein.“
Wie sich noch im selben Jahr herausstellen sollte, lag Archie mit dieser Aussage genau richtig, denn keine drei Monate später flog Pete bei den Beatles raus und verpasste somit eine Weltkarriere. Als ich Paul ein paar Jahre später einmal in London traf, erzählte er mir, dass unter anderem Petes Verhalten in Hamburg mit ausschlaggebend für den Rauswurf gewesen sei. Die Genugtuung darüber ließ mich noch Tage später breit grinsen.

Ob Archie das an jenem Abend bereits geahnt hatte, weiß ich nicht, aber ich konnte ihn für seine kluge Gelassenheit nur bewundern. Jeder andere, egal ob Werwolf, Vampir oder Mensch, hätte Pete mit Sicherheit für sein schändliches Handeln den Kopf abgerissen. Archie hingegen war so fair, dass er sogar nach jedem Lied begeistert Beifall klatschte. Man musste ihn einfach ins Herz schließen.

„Aber du bist doch bestimmt traurig, dass du heute nicht mit den Jungs spielen konntest, oder?", fragte ich ihn, als das Konzert vorbei war.

„Nein, überhaupt nicht", antwortete er. „Wie könnte ich traurig sein? Dank dir bin ich heute und sicher noch ganz lange der glücklichste Mensch der Welt."

„Der glücklichste Werwolf der Welt, meinst du sicher." Ich zwinkerte ihm zu.

Er zwinkerte zurück.

„Klar, es hat schon sehr viel Spaß gemacht, mit den dreien zu spielen", gab er zu. „Und ich bin mir ganz sicher, dass sie eine großartige Karriere vor sich haben. Aber eigentlich wollte ich immer schon meine eigene Musik machen, mit meiner eigenen Band. Da fällt mir ein: George hat mir erzählt, du spielst Gitarre? Was hältst du davon, wenn wir beide eine Band gründen?"

„Sehr viel", sagte ich grinsend. „Davon halte ich sehr viel."

Und so kam es, dass ich mit jemandem zusammen in einer Band war, der schon mit den Beatles gespielt hat und mein allerbester Freund wurde.

„Du hast mal in einer Band gespielt?“, fragt Vira staunend. „Wie cool! Das wusste ich ja noch gar nicht.“

„Das weiß auch sonst kaum jemand“, sage ich lachend. „Wir waren nämlich nicht gut. Also, *ich* war nicht gut, Archie schon. Deshalb gab es unsere Band auch nur sehr kurz, ungefähr ein halbes Jahr. Doch Archie hat natürlich weitergemacht. Mit seinen Bands hat er leider nie den großen Durchbruch geschafft, aber später wurde er zum gefragtesten Studio-Schlagzeuger der Welt. Und er hat Lieder für ganz große Stars geschrieben und produziert und ist damit reich geworden. Er lebt in einem Schloss in Frankreich und hat sogar ein eigenes Flugzeug.“

„Was? Echt?“ Rhesus ist tief beeindruckt. „Dann kennt er auch richtige Stars?“

„Davon kannst du ausgehen“, antworte ich. „Ich würde wetten, er kennt sogar deine asiatischen Vampire.“

„Abgefahren!“, sagt Rhesus. „Ich hätte nie gedacht, dass du so coole Leute kennst, Opa!“

„Ach, jetzt auf einmal“, frotzelt Vira. „Schon vergessen? Archie ist ein Werwolf. Würdest du ihn nicht sofort abknallen, wenn du ihn siehst?“

„Das ist doch nur ein Spiel“, sagt Rhesus kleinlaut. „Ich wusste ja nicht, dass es auch coole Werwölfe gibt.“

„Ist die Geschichte jetzt zu Ende?“, fragt Globinchen.

„Ja“, antworte ich. „Hat sie dir gefallen?“

„Ja, sehr“, sagt Globinchen. „Nur den blöden Pete mochte ich nicht. Der ist eine doofe Petze.“

„Das stimmt!“ Ich lache. „Aber er hat ja noch das gekriegt, was er ...“

Ein sehr lautes Klingeln unterbricht mich. Wir zucken alle vier erschrocken zusammen. Was ist das denn? Ein anderes Klingeln gesellt sich dazu, dann noch eins von weiter weg. Ein weiteres scheint aus der Küche zu kommen.

„Ah!“, sage ich, als mir plötzlich einfällt, was das ist. „Das sind die Wecker, die eure Oma für uns gestellt hat! Ist es wirklich schon so früh?“

„Kurz vor halb sechs“, sagt Rhesus, der schon wieder mit seinem Handy spielt.

„Oh, dann wird es aber höchste Zeit für den Sarg“, stelle ich fest.

„Können wir nicht noch ein bisschen aufbleiben?“, fragt Vira. „Ich bin noch gar nicht müde.“

„Tut mir leid“, sage ich. „Ich habe eurer Mutter versprochen, dass ihr pünktlich zu Sonnenaufgang in euren Särgen liegt. Ich will keinen Ärger mit ihr kriegen. Und mit Oma erst recht nicht.“

„Aber wir könnten doch hier schlafen!“, schlägt Globinchen vor. „In unserem tollen Bücherhaus! Da ist genug Platz, wenn wir uns aneinanderkuscheln! Und Licht kommt auch keins rein! Bitte, Opa! Lass uns hier schlafen!“

„Ja, bitte, bitte!“, steigt Vira mit ein. „Hier ist es viel schöner als in der Gruft.“

„Und Empfang gibt's auch keinen da unten“, sagt Rhesus. „Ich bin auch dafür, dass wir hier oben schlafen.“

Drei große Augenpaare blicken mich flehend an. Dagegen bin ich einfach machtlos.

„Na gut“, seufze ich, „dann schlafen wir eben hier oben. Aber ihr dürft uns nicht verraten, verstanden?“

Alle drei nicken.

„Ich hol meine Kuscheldecke!“ Globinchen springt begeistert vom Sofa.

„Warte, ich komm mit!“, ruft Vira.

Die beiden flitzen aus dem Zimmer.

„Bringt bitte mein Zeug auch mit!“, ruft Rhesus ihnen hinterher.

„Meins auch!“, füge ich hinzu. „Einfach alles aus meinem Sarg! Das Kissen nicht vergessen!“

Fünf Minuten später sind die beiden wieder da und wir machen es uns in dem Bücherhaus gemütlich. Wirklich genug Platz haben wir natürlich nicht, Globinchen liegt halb auf meiner Brust und ich habe Rhesus' Füße fast im Gesicht, aber für einen Tag wird das schon funktionieren.

„Oh, das ist schön“, flüstert Globinchen, während sie sich eng an meinen Hals schmiegt. „Guten Tag, Opa. Schlaf gut.“

„Ja, guten Tag, Opa“, sagt Vira. „Und danke, dass du uns die Geschichten erzählt hast, die waren toll.“

„Sehr gern“, sage ich leise. „Schlaft gut, ihr zwei. Und du schläfst jetzt auch, Rhesus. Handy aus. Jetzt werden keine Werwölfe mehr gekillt.“

„Mach ich doch gar nicht“, erwidert Rhesus. „Ich zocke nicht mehr, das ist was anderes.“

„Trotzdem, Handy aus“, sage ich bestimmt. „Jetzt wird geschlafen.“

„Ja, Moment, gleich, ich warte nur noch auf …“

„Nicht gleich, sofort“, fordere ich.

Ein leises Ping ertönt.

„Alles klar“, sagt Rhesus und das Licht seines Handys geht aus. „Guten Tag, Opa.“

Ich warte noch, bis ich alle drei regelmäßig atmen höre, dann schließe auch ich die Augen und schlafe ein.

DING-DONG!

Huch, was war das denn? Ich öffne blinzelnd meine Augen. Und sehe nichts. Was trotz der Dunkelheit sehr ungewöhnlich ist, normalerweise sehen wir Vampire im Dunkeln ziemlich gut. Und irgendwas kitzelt mich in der Nase. Außerdem bin ich nicht in meinem Sarg. Ah, stimmt, ich erinnere mich, ich liege ja im Bücherhaus. Und Globinchen liegt halb auf meinem Gesicht, ihr Fuß kitzelt mich in der Nase. Ich schiebe sie vorsichtig von mir hinunter.

DING-DONG!

Da, schon wieder dieses Geräusch. Ist das etwa noch einer von den Weckern, die Selena für uns gestellt hat?

DING-DONG!

Nein, das ist kein Wecker, das ist die Türglocke. Wer klingelt denn bei uns? Es kommt nur äußerst selten vor, dass sich jemand zu uns verirrt.

DING-DONG! DING-DONG! DING-DONG!

Ja, ja, schon gut, ich komm ja schon!

Ich krabbele vorsichtig aus dem Bücherhaus und schaffe es, ohne die Kinder zu wecken. Als ich den Flur entlangschlurfe, sehe ich an der großen Standuhr, dass es Viertel vor neun Uhr abends ist, die Sonne ist also gerade untergegangen.

DING-DONG! DING-DONG! DING-DONG!

„Ich komme!“, rufe ich der großen Eingangstür entgegen.

Als ich sie öffne, bleibt mein Herz kurz stehen, und meine Kinnlade klappt bis auf den Boden, weil ich nicht glauben und schon gar nicht fassen kann, wer da vor mir steht.

„Archie?“, platze ich heraus. „Bist du’s wirklich?“

„Kommt drauf an“, antwortet Archie grinsend. „Kennst du noch einen anderen Werwolf, der an Neumond vor deiner Tür stehen könnte?“

„Oh, ist das schön!“, sage ich und wir umarmen uns fest zur Begrüßung. „Ich habe gerade noch gestern meinen Enkeln von dir erzählt. Aber … Aber was machst du denn hier?“

„Ach, ich war zufällig in der Gegend“, antwortet Archie. „Da dachte ich, ich guck mal kurz vorbei. Ich habe allerdings noch ein paar Leute mitgebracht, das ging nicht anders. Ich hoffe, es macht dir nichts aus?“

Er winkt einem Gebüsch rechts vom Eingang zu, eine ganze Gruppe von Leuten tritt dahinter hervor.

Okay, jetzt weiß ich, was hier gerade passiert. Ich bin noch gar nicht wach. Ich liege immer noch in dem kleinen Bücherhaus und träume. Anders lässt sich das nicht erklären.

„ÜBERRASCHUNG!“, brüllen mir alle gemeinsam entgegen.

„Wie? Was?“, stammele ich völlig überwältig. „Bobo? Tallulah? Yeti? Aber das ist doch nicht möglich!“

Ich drücke jeden Einzelnen fest an mich.

„Und ich werde hier nicht begrüßt, oder was?“, erschreckt mich eine Stimme aus dem Nichts direkt neben mir.

„Jack?“, frage ich aufgeregt. „Bist du etwa auch hier?“

„Was denkst du denn?“, antwortet Jack und ich spüre seine Hand auf meiner Schulter. „Das lasse ich mir doch nicht entgehen.“

„Ja, aber … Aber wie … Warum … Wieso seid ihr alle hier?“, frage ich völlig überwältigt.

„Das musst du den jungen Mann hinter dir fragen“, sagt Archie lässig.

Ich drehe mich um. Die Kinder stehen im Türrahmen. Globinchen und Vira reiben sich verschlafen die Augen, während Rhesus mich breit angrinst.

„Tja, Opa, mit so einem Ding kann man eben nicht nur Werwölfe killen“, sagt er und streckt mir sein Handy entgegen. „Verzeihung, Archie. Nichts gegen dich. Ich werde das Spiel auch nicht mehr zocken, versprochen.“

„Kein Problem.“ Archie zwinkert Rhesus zu. „Ich zocke das auch manchmal, macht Spaß. Ich habe sogar die Musik dazu geschrieben.“

„Oh, wie cool!“, sagt Rhesus.

„Moment, Moment mal“, ich schüttele verwirrt den Kopf, „du hast dafür gesorgt, dass plötzlich alle meine besten Freunde hier sind? Wie hast du das denn geschafft?“

„Ach, das war gar nicht so schwer“, antwortet Rhesus. „Ich habe gestern, während du die Geschichten erzählt hast, irgendwann aus Neugier damit angefangen, nach ihnen im Internet zu suchen. Bobo und Archie habe ich gleich gefunden und sie angeschrieben.“

„Du kannst dir nicht vorstellen, wie überrascht ich war, als ich plötzlich eine Nachricht von einem Rhesus Dracula habe aufblinken sehen“, sagt Archie.

„Oh ja, ich auch!“ Bobo nickt.

„Und dann hatte Archie auch gleich die Idee, alle einzusammeln und hierherzubringen“, erklärt Rhesus. „Ich hätte allerdings nie gedacht, dass das so schnell geht.“

„Ich auch nicht", gibt Archie zu. „Aber einer meiner Jets stand zufällig gerade in Nepal, so konnte sogar Yeti sofort kommen."

„Dein Enkel hat mich über meinen Ballettblog gefunden", sagt Yeti. „Du kannst stolz auf ihn sein, er ist ein sehr cleverer kleiner Vampir."

Sie streicht Rhesus über den Kopf, er wird ein bisschen rot.

„Allerdings", sage ich, über alle Maßen gerührt. „Das ist die großartigste Überraschung, die mir jemand in meinen 589 Lebensjahren bereitet hat. Ich bin immer noch ganz überwältigt."

„Von überwältigt werden wir aber nicht satt", höre ich Jacks Stimme. „Die Reise war lang, wir haben Hunger und ich muss mal aufs Klo. Willst du uns nicht endlich reinbitten?"

„Was? Oh! Ja, natürlich!", sage ich. „Kommt rein! Kommt rein!"

Immer noch ganz verwirrt vor Freude lasse ich einen nach dem anderen an mir vorbei eintreten. Globinchen ist mittlerweile auch wach und kriegt immer größere Augen, als sie sieht, wer da alles hereinspaziert. Als Tallulah auf sie zukommt, zieht sie sich allerdings ängstlich blickend ein paar Schritte zurück. Tallulah bleibt vor ihr stehen.

„Du musst Globinchen sein", sagt sie. „Ich habe schon ganz viel von dir gehört. Auch, dass du Angst vor Spinnen hast. Das musst du aber nicht. Guck mal, ich hab dir was mitgebracht, vielleicht hast du dann ja weniger Angst."

Tallulah zieht etwas aus ihrer Tasche, es ist eine kleine Spinnen-Puppe mit glitzernden Beinen.

„Die hab ich extra auf dem Flug für dich gesponnen", sagt Tallulah.

„Oh, die ist ja süß!", quiekt Globinchen begeistert und umarmt Tallu-

lah. „Du bist aber lieb! Vielen Dank! Ich hab jetzt schon fast gar keine Angst mehr vor Spinnen!“

Als alle drin sind, schließe ich die Tür.

„Oh, ich freue mich so sehr, dass ihr da seid!“, sage ich. „Aber ich habe jetzt natürlich überhaupt nichts für euch vorbereitet. Was machen wir denn da?“

„Das ist doch ganz einfach, Opa“, sagt Globinchen. „Wir machen eine Riesen-Monsterparty!“

Eine Stunde später ist die Party in vollem Gange. Archie überredet mich, meine Gitarre abzustauben und mit ihm zusammen alte Beatles-Lieder zu spielen. Globinchen dreht mit Yeti Pirouetten dazu, während Jack, der sich einen meiner Mäntel übergezogen hat, mit Tallulah tanzt. Bobo und Vira sitzen auf dem Sofa, unterhalten sich und lachen sehr viel dabei. Rhesus weicht Archie nicht von der Seite und bestaunt alles, was er macht.

Als ich zwischendurch in den Keller gehe, um für Getränkenachschub zu sorgen, höre ich wieder die Türklingel.

DING-DONG!

Mich wundernd, welche Überraschung denn jetzt noch auf mich warten könnte, eile ich vorfreudig zur Tür und öffne sie. Ein sehr ungesund aussehender alter Mann sitzt in einem klapprigen Rollstuhl vor mir und hält zitternd einen Holzpflock in der Hand.

„Haha!", krächzt er mir entgegen. „Endlich ist es so weit! Dies ist dein Ende, vermaledeiter Vampir!"

Er versucht, sich aus dem Rollstuhl zu erheben, sackt aber immer wieder kraftlos stöhnend zurück.

„Ach, Van Helsing", sage ich seufzend. „Reicht es dir denn nicht so langsam mal mit dem ewigen Vampirjagen? Das bringt doch alles nichts. Wie oft hast du jetzt schon vergeblich versucht, mich zu töten? Hundertmal? Zweihundertmal?"

„Es waren genau einhundertachtundsiebzigmal", krächzt er mir entgegen. „Jetzt hilf doch einem alten Zombie mal beim Aufstehen, damit ich dir endlich diesen Pflock ins Herz rammen kann."

„Nein", erwidere ich und nehme ihm den Holzpflock ab. „Damit ist jetzt ein für alle Mal Schluss, du hast dich lange genug lächerlich gemacht. Ich wette, du weißt noch nicht einmal mehr, wieso du mich eigentlich umbringen willst."

„Na, weil … Weil du … Mist, ich habe es tatsächlich vergessen“, seufzt Van Helsing.

„Na, siehst du?“, sage ich. „Dann kannst du doch auch gleich komplett vergessen, dass du mich umbringen willst, und mit reinkommen. Wir feiern nämlich gerade eine Monsterparty.“

Ich trete hinter den Rollstuhl und fange an zu schieben.

„Eine Monsterparty?“, fragt er verdattert. „Das klingt aber lustig. Und ich darf einfach so mitmachen?“

„Klar“, sage ich und rolle ihn vor mir her über den Flur. „Du bist doch schließlich selbst ein Monstrum.“

„Ja, das stimmt wohl, das bin ich“, sagt er. „Irgendwie steckt in jedem von uns ein kleines Monstrum, oder?“

„Van Helsing“, sage ich lachend. „Das war mit Sicherheit das Schlauste, was du jemals gesagt hast.“

Ende

**Jochen Till,** geboren 1966 in Frankfurt, wurde 1995 von einem Schreibvampir alten Adels gebissen. Seitdem sitzt er nachtein nachtaus in seiner Kemenate und saugt sich selbst die abenteuerlichsten Geschichten aus den Fingern, stets darum bemüht, den blutroten Faden nicht zu verlieren.

**Wiebke Rauers,** geboren 1986 in Düsseldorf, wurde 2007 von einer Künstlervampirin in der 8. Generation gebissen. Seitdem sitzt sie nachtein nachtaus in ihrem Atelier und zeichnet die wunderlichsten Gestalten, bevorzugt in ihrer Lieblingsfarbe Blutrot.